La collection « Ado »
est dirigée par Michel Lavoie

L'air bête

L'auteure

Josée Pelletier a écrit sa première histoire à sept ans, et n'a jamais quitté sa plume même lors de ses études universitaires. Comptable, contrôleure dans une petite entreprise et mère de trois enfants, elle trouve toujours le temps d'écrire. *L'Air bête* est son premier roman et la réalisation d'un vieux rêve.

ROMAN ADO | DRAME

Josée Pelletier
L'air bête

nts d'Ouest

Données de catalogage avant publication (Canada)

Pelletier, Josée

L'air bête

(Roman ado ; 51. Drame)

ISBN 2-89537-064-8

I. Titre. II. Collection: Roman ado ; 51. III. Collection:
Roman ado. Drame.

PS8581.E398A74 2003   jC843'.6   C2003-940979-1
PS9581.E398A74 2003
PZ23.P44Ai 2003

Nous remercions le Conseil des Arts du Canada de l'aide
accordée à notre programme de publication. Nous recon-
naissons l'aide financière du gouvernement du Canada par
l'entremise du Programme d'Aide au Développement de
l'Industrie de l'Édition (PADIÉ) pour nos activités d'édition.
Nous remercions également la Société de développement des
entreprises culturelles ainsi que la Ville de Gatineau de leur
soutien.

Dépôt légal — Bibliothèque nationale du Québec, 2003
                    Bibliothèque nationale du Canada, 2003

Révision : Raymond Savard
Correction d'épreuves : Renée Labat
Infographie : Christian Quesnel

© Josée Pelletier & Éditions Vents d'Ouest, 2003

Éditions Vents d'Ouest
185, rue Eddy
Gatineau (Québec) J8X 2X2
Téléphone :   (819) 770-6377
Télécopieur :   (819) 770-0559
Courriel :   info@ventsdouest.ca
Site Internet : www.ventsdouest.ca

Diffusion Canada : PROLOGUE INC.
Téléphone :   (450) 434-0306
Télécopieur :   (450) 434-2627

Prologue

J E FAIS le chemin de Montréal à Magog avec les Ferreira. C'est la première fois que je me rends chez eux, en Estrie. En descendant de voiture, je m'étire. Joey grimace un sourire en me voyant faire. Ses parents ouvrent la porte de la maison et nous les suivons. Je suis saisie dès mon entrée : Sandrine est si présente ! D'abord, son manteau est suspendu dans la garde-robe de l'entrée. Puis, de nombreuses photos d'elle sont posées ici et là dans le salon. Il y a aussi une tasse qui affiche le nom de Sandrine dans l'armoire de la cuisine. Je l'aperçois quand j'aide madame Ferreira à préparer la tisane. Monsieur Ferreira préfère prendre un scotch. Nous parlons peu.

— Joey, aide-moi à choisir les vêtements de Sandrine, implore madame Ferreira.

Quel supplice pour Joey de devoir choisir les vêtements que sa sœur portera dans son cercueil !

— Tu peux venir, m'invite gentiment madame Ferreira.

Dans la chambre rose de Sandrine, je regarde les oursons sur le lit. Une pensée bizarre traverse mon esprit : « Il faudrait annoncer aux nounours que Sandrine ne reviendra jamais. »

Je pince les lèvres en me sentant idiote de penser que les oursons peuvent avoir une âme. Je leur jette un dernier coup d'œil avant d'aider à choisir les vêtements. C'est fou comme les oursons ont l'air d'attendre Sandrine !

Chapitre premier

Sept semaines plus tôt.

QUELLE HORREUR ! J'ai un bouton qui désire jouer les vedettes. Sur le bout de mon nez, en plus ! La journée même où je dois faire un exposé de français devant toute la classe ! C'est sûrement le stress qui veut sortir par cette pustule. Si je pince cette horreur, je sens que ce sera pire. Et le stress sera toujours présent.

Comble de malheur, mon réveille-matin n'a pas sonné. Rien. *Niet.* Et moi, je roupillais comme une bonne ! Jusqu'à ce que maman ouvre mes rideaux, l'air *full* stressé.

– Zoé ! Tu es en retard !

Je sursaute : sept heures et quart. L'école commence à huit heures. J'ai trente minutes d'autobus-métro à me taper. Quinze minutes. C'est tout ce dont je dispose pour me préparer. Moi qui avais prévu de repasser ma blouse bleue avant de partir. Ma plus belle blouse pour me présenter devant la classe. J'enfile mon chandail noir difforme et trop grand. Celui que je mets quatre à cinq fois par semaine. Je me brosse les cheveux, les dents et je déguerpis. J'ai oublié mon lunch et mes sous. Je m'en aperçois dans l'autobus. Je fouille dans le fond de mon sac à main où je trouve deux dollars. Je soupire d'aise ; je pourrai m'acheter une poutine.

Si j'avais dormi chez papa, il est certain que je ne me serais pas réveillée aussi tard. Mes chers demi-frères (deux) et ma chère demi-sœur (une, mais elle en vaut deux) se seraient occupés de me réveiller dès six heures. Il y a seulement chez maman que je peux rêver sans être interrompue. Sauf quand elle travaille. Et justement, elle travaillait ce matin. Elle n'est jamais en retard. Elle ne l'a jamais été. Sauf ce matin. D'habitude, elle me réveille quand elle part pour l'hôpital, vers six heures trente. Mais aujourd'hui, son réveille-matin n'a pas sonné. Il y a eu une panne de courant durant la nuit. Je ne sais pas si maman est partie la première. Deux tornades se croisaient dans l'appartement à la sortie de la salle de bains. Chose certaine, si j'ai quitté en dernier le logement, je n'ai pas mis les loquets. Ce détail m'obsède durant tout le trajet.

Rendue à l'école, je revois le bouton sur mon nez dans le miroir qu'Évelyne et moi avons installé à l'intérieur de notre casier.

— Merde !

On dirait qu'un deuxième pif veut me pousser dans la figure. JE SUIS HORRIBLE ! Rémi Laporte-Sauvé rira sûrement de moi. Il est dans ma classe de français. Même sans bouton, je suis son souffre-douleur. J'imagine qu'aujourd'hui, il s'en donnera à cœur joie. Je porte mon foutu chandail noir dont il se moque si souvent et, en plus, j'ai ce bouton qui décore ma figure. Sans compter mes cheveux couleur carotte, mon teint pâlot, ma menue poitrine et mes ongles rongés. Une chance que je n'ai plus d'appareil sur les dents ; il passait son temps à m'appeler : « La fille avec la clôture Frost dans'yeule. » Ce que je peux haïr ce gars !

Évelyne sursaute en me regardant.

— Ça se voit tant que ça ? lui demandai-je.

Le découragement m'envahit.

— Tu parles de ton air fatigué et des cernes sous tes yeux ?

Rien pour me rassurer.

— Non, mon bouton sur le nez…

J'aurais pas dû lui dire. Elle a ouvert grand les yeux, louchant légèrement en examinant mon nez.

— Ah ! Merde ! jurai-je à nouveau.

— Zo… C'est pas si pire…

Quand on dit « C'est pas si pire », ça veut dire « Ça se voit mais on va faire semblant qu'on n'a rien vu ». J'applique une bonne couche de mascara sur mes cils en faisant fi de mon nez.

« Si on se concentre sur mes yeux, on ne verra plus mon volcan sur le point d'entrer en éruption », me dis-je pour m'encourager.

Je ferme le casier d'un coup de hanche. Clara Laberge, qui se tient à côté, pouffe de rire en me voyant, puis passe son chemin. Mon bouton est beaucoup plus gros que je ne l'imagine.

Pendant que je marche avec Évelyne vers la salle de français, j'essaie de me souvenir de la première phrase du texte que je dois dire. J'ai l'impression que je vais au cirque. Le clown, ce sera moi.

Mon amie me salue alors que nous croisons le corridor des cours de langue. Elle va en maths. La chanceuse. Et moi, au festival des bouffons. Je prends une grande respiration avant de pénétrer dans le local.

– Aujourd'hui, dit le prof en entrant dans la salle, c'est un grand jour. Nous allons enfin entendre le fruit de vos recherches concernant un grand poète.

Le fruit de nos recherches ! Ma récolte n'a pas été… comment dit-on ? farinimeuse ? Non ! Ça ressemble trop à farine. Ça ne doit pas être ça. Faramineuse ? Oh ! Zut ! Le français, c'est pas mon fort ! J'ai une idée de ce que je ferai plus tard mais, chose certaine, je ne serai pas prof de fran…

– Zoé Jaworski !

Flûte ! Pourquoi est-ce moi qui dois faire le premier exposé ?

— Oui ?

— J'ai tiré un nom au sort et vous êtes l'heureuse élue !

L'heureuse élue ? Mon œil ! Je suis la pauvre martyre qui se sacrifie. En plus, j'ai un trou de mémoire. J'attrape mes feuilles dans mon sac et me lève.

— Sans ton texte ! précise le prof.

Je n'ai rien entendu. En tout cas, je fais comme si. Nonchalante, je me dirige vers le bureau du prof en zieutant mon texte. J'ai quand même le temps d'en lire la première phrase. Ah ! Oui ! Je me souviens ! Mais j'oublie tout le reste dès que j'entends le rire sarcastique de Rémi Laporte-Sauvé :

— Eh ! Jaworskiki ! Y'a des ventes au centre d'achats ! Tu devrais en profiter. On est écœurés de voir ton chandail noir !

— Si c'est juste mon chandail qui t'écœure, c'est pas grave. Moi, c'est ta face que j'suis écœurée de voir !

Tout le monde éclate de rire. Je reprends confiance en moi et, la tête haute, je marche vers le bureau du prof qui semble pris, lui aussi, d'un fou rire. Je me sens forte et fière.

— Zoé, tu n'as pas droit à ton texte, répète monsieur Girard.

Je dépose les feuilles sur son bureau, mais avant, je relis la première ligne de ma rédaction. Tout me revient en mémoire.

— J'ai décidé de faire mon exposé sur Gatien Lapointe...

Voilà que je déballe mon exposé que j'ai durement appris par cœur. À peine arrivée à la troisième phrase, je suis interrompue par quelqu'un qui frappe à la porte. Je laisse mes mots en suspens. Un gars entre et tend un billet à monsieur Girard.

– Eh bien ! Bienvenue parmi nous, je suis Robert Girard, dit-il en tendant la main au nouveau.

Se tournant vers nous, il annonce :

– Nous avons un nouvel élève. Accueillez Joey Ferreira. Installe-toi, l'invite-t-il.

Habituellement, un nouveau, c'est toujours intéressant et mystérieux. Cependant, la plupart du temps, il s'avère un peu con. Et ordinaire. N'empêche que ça fait du bien de voir un nouveau visage. Alors que l'inconnu se dirige vers le fond de la salle, notre enseignant lui explique sommairement son plan de cours et ce que je fais debout devant la classe. Je regarde le nouveau se diriger vers MON pupitre et s'y installer. Je n'ai fait que sortir le texte de mon sac et n'ai pas eu le temps de mettre autre chose dessus. Il a donc pensé que la place était libre.

– Zoé, on t'écoute, lance le prof alors que j'ai le regard soudé sur le gars qui a pris MA place.

– Eeeeeuh !

J'ai l'air complètement débile. Je ne vois que le voleur. Quel culot ! Victor, assis à côté de MON pupitre, se penche vers l'escroc et lui murmure quelque chose à l'oreille en me montrant du doigt. Le pirate hausse les épaules et reste là. À croire qu'il hissera les voiles sur mon bureau, prêt à naviguer à cet endroit pour le reste de l'année !

— Zoé ?

— Oui ?

— Tu peux continuer.

Continuer ? À faire quoi ? Ah oui ! Mon exposé !

— Donc… Eeeuh ! Je vous parlais de Gatien Lapointe, qui a publié l'*Ode au Saint-Laurent* en 1963…

L'auditoire est tout ouïe. Pas parce que je suis intéressante, mais parce qu'il y aura un examen écrit à la fin de la semaine sur les poètes évoqués dans les exposés. Tous les élèves sont donc à leur crayon et prennent des notes. De temps en temps, il y en a un qui me regarde, sinon je ne vois que des têtes penchées sur un cahier. Sauf une. Celle du malotru. Je déteste son regard. Il est intense, je dirais même… sadique. Des yeux noirs, aussi noirs que ses cheveux désordonnés. Il a une barbe qu'il aurait dû raser. Ça fait drôle de voir un gars de notre âge avec de la barbe. Ils ont plutôt quelques poils et du duvet épais à la place de la moustache. Mais pas lui. Cela ne l'avantage pas. Il n'a rien d'un enfant de chœur.

— Gatien Lapointe était un disciple de Paul Éluard…

Sous son veston en jean, il porte un t-shirt blanc sur lequel il y a une inscription que je ne peux reconnaître.

— J'ai adoré l'*Ode au Saint-Laurent*, que je ne vous réciterai pas en entier, puisqu'on en aurait pour des heures et certains, qui ne comprennent rien à la poésie, pourraient s'endormir et peut-être découvririons-nous qu'ils bavent en dormant.

Rire. Quelques personnes regardent Rémi. Moi, je vois pour la première fois un petit sourire se dessiner sur les lèvres du nouveau. Oh ! Pas longtemps. On dirait que les muscles de ses joues ne sont pas habitués à faire des sourires. Je poursuis :

— L'*Ode au Saint-Laurent* n'a rien d'endormant. Elle n'est que frissons et bouleversements.

Je prends une grande respiration.

— « Être homme est déjà une tragédie
Et j'ai pleuré en découvrant le monde… »

Je balaie la classe de mes yeux et croise ceux du voleur de pupitre. Il est le seul à ne pas écrire. Il a une drôle de manière de regarder les gens. En tout cas, moi, il m'intimide.

— « J'ouvrirai les paupières du temps
Je jetterai debout chaque enfance… »

Je suis hypnotisée par cet élève, le seul qui me dévisage.

— « Ne fera-t-il jamais jour dans le cœur des hommes ? »

Décontenancé, il détourne son regard le premier. Je me ressaisis.

— Très bien, Zoé, me complimente monsieur Girard. Si toutes les présentations sont de cette qualité, nous passerons une excellente semaine.

J'ai envie de sauter de joie et surtout de faire une grimace à Rémi Laporte-Sauvé.

— Dommage qu'elle ait son chandail noir, marmonne Rémi quand je passe près de lui.

— Crétin !

Je lui assène un coup derrière la tête avec mes feuilles.

— Monsieur ! A'm'a frappé ! pleurniche-t-il.

Je ramasse mon sac par terre près de MON bureau et je murmure :

— Double crétin !

Sans sourciller, le nouveau me regarde faire. Tout le monde l'observe parce qu'il ne change pas de place et ne s'excuse pas. Rémi évoque la liberté d'expression et patati et patata. Exaspéré de l'entendre, le prof l'interpelle :

— T'as le goût de parler, hein ! Rémi Laporte-Sauvé ? Viens faire ton exposé. Ça va te faire du bien de nous parler un peu.

— Ch'us pas prêt, m'sieur !

— Tant pis pour toi. Vous étiez tous censés être prêts aujourd'hui.

Je m'assois dans la dernière rangée. Rémi se lève. Il est furieux. Tentant de se cacher avec ses feuilles, il me fait un doigt d'honneur.

Je souris, aucunement insultée. J'échange un regard complice avec mon ami Victor. Je glisse ma main dans mon sac d'école pour m'emparer d'un crayon et d'une feuille. Stupéfaite, je fronce les sourcils et fouille un peu. Ce sac n'est pas le mien. Je le repère aux pieds du nouveau. Justement, il se penche pour prendre le sien mais ne le trouve pas. Une lumière semble s'allumer en lui : il regarde vers moi et comprend que je lui ai piqué son baluchon. Je passe le sac à Jade à côté de moi, qui le donne à Victor, qui le remet à son propriétaire. Le mien me revient par le même chemin. Je ne remercie pas le nouveau. Il a l'air assez difficile d'approche.

— M'sieur ! En arrière, ils n'arrêtent pas de se passer des affaires pis ça me dérange, proteste Rémi.

— D'accord, Rémi, continue. Zoé, s'il vous plaît…

— Jaworski a un bouton sur le bout du nez, pis ça me dérange…

L'effronté ! Ma mâchoire s'affaisse alors que tout le monde se tourne vers moi. Leur regard se pose sur mon bouton qu'ils n'avaient sans doute pas remarqué auparavant.

— J'ai peut-être un bouton sur le nez, répliquai-je, mais avoir la face que tu as, c'est bien plus humiliant.

— Zoé ! s'écrie monsieur Girard. Une autre remarque comme celle-là, et je t'envoie chez le directeur.

Rémi est content. Son sourire s'épanouit. L'enseignant le surprend.

– Tu veux l'accompagner, Rémi ?

Il se tourne vers la classe (et plus précisément vers moi) et ajoute d'un ton militaire :

– Je ne veux plus rien entendre.

Monsieur Girard s'adosse contre le mur en croisant les bras. Il balaie la classe d'un regard exaspéré avant de s'arrêter sur Laporte-Sauvé.

– Qu'est-ce que tu attends pour faire ton exposé ? demande le prof, impatient, à Rémi.

– Bien… Vous avez dit que vous ne vouliez plus rien entendre…

Chapitre II

À L'HEURE DU DÎNER, je retrouve Évelyne à la cafétéria. Elle ne perd pas une minute pour m'attaquer.

— Tu ne m'avais pas dit qu'il y avait un nouveau dans ta classe !

Ennuyant, le nouveau. Il dessine tout le temps, ne parle à personne et de plus, il décampe aussitôt le cours terminé. Il n'est même pas présent à la cafétéria, ce midi.

— De quoi a-t-il l'air ?

— Bah… !

Évelyne s'impatiente.

— Pas plus que ça ?

Indifférente, je picore ma salade.

— Comment s'appelle-t-il ? demande-t-elle.

— Je ne sais pas. Je n'ai pas fait attention quand le prof l'a dit. J'étais trop stressée par mon exposé.

— Il n'a pas l'air intéressant, fait-elle, vaincue.

Moi, les airs bêtes, ce n'est pas mon fort. Il n'est pas jasant en plus. Victor a tenté de l'approcher. Peine perdue, le gars ne semble pas avoir envie de frayer avec la société.

Après l'école, le nouveau emprunte le même itinéraire que moi : autobus 158, métro jusqu'à la Côte Sainte-Catherine et autobus 129. Nous descendons au même arrêt. Il entre dans le même hôpital que moi. Je ne prends pas l'ascenseur. Les ascenseurs me répugnent. En fait, ce n'est pas l'endroit que je hais, c'est l'odeur des gens. Et aussi le fait d'être entassée avec des personnes qui expirent des microbes, des virus et des bactéries. J'aime partager, mais il y a des limites.

Je crois que le nouveau s'est senti observé puisqu'il a marché rapidement vers l'entrée de l'hôpital Sainte-Justine. Il semble me fuir. J'ignore pourquoi il est là. Moi, c'est parce que maman y travaille. Elle est pédiatre-hématologue. Sa profession l'oblige souvent à de longues heures de travail. Elle sait toujours quand commence sa journée, mais jamais quand elle finira. Comme je déteste manger seule à la maison, je la rejoins et fais mes devoirs au poste des infirmières. Des fois, je vais manger avec l'une des préposées ou j'attends patiemment ma mère. Mais le plus souvent, je joue avec les petits enfants ou je les aide à manger quand leurs parents sont absents.

Je me suis tellement prise d'affection pour certains d'entre eux que, parfois, les parents me téléphonent et me demandent de les remplacer auprès de leur enfant. Je suis leur gardienne à l'hôpital. J'adore ça. Sauf quand ils souffrent. Je tente toujours d'avoir l'air forte mais, une fois rendue chez moi, réfugiée dans mon lit, je pleure. J'évacue toute mon amertume et ma colère contre la vie.

Mes petits amis sont atteints de leucémie. Malgré leur angoisse, ils en parlent rarement. À moi, du moins. À l'occasion, ils me posent des questions. Surtout quand je m'y attends le moins. Comme cette fois où Nicolas et moi jouions avec des droïdes et un invincible Jedi quand il m'a questionnée :

— Zoé ?

— Mmmmm ?

— Qui me tiendra la main quand je serai au paradis ?

Mes épaules ont tombé, mon menton s'est affaissé et mes joues ont rosi. Maman m'a recommandé de leur retourner la question afin de les faire parler et, ainsi, de comprendre leur peur.

Je suis toujours contente d'apprendre qu'un petit patient nous quitte pour retourner chez lui parce qu'il est en rémission. C'est une grande fête dans mon cœur. Mais je suis toujours triste quand je le revois, constatant que sa maladie a gagné du terrain. Un sentiment d'impuissance m'habite alors.

J'ai perdu des petits amis. Ils valsent maintenant dans mes rêves, la nuit. Ce n'est pas toujours facile. Ce n'est même pas facile du tout. Ça me tue un peu chaque fois.

Un jour, je serai médecin. Comme maman. Et je sauverai des vies.

Pour l'instant, je dois accepter de perdre des batailles. C'est ce que je tente d'enseigner à mon Jedi.

Chapitre III

I L S'APPELLE JOEY. Je l'ai appris quand le prof de français lui a demandé de présenter les résultats de sa recherche à la fin de la semaine. C'est pour lui donner du temps que monsieur Girard l'a fait passer en dernier.

Je ne prends pas de notes. Je veux examiner Joey à ma guise. Il porte toujours le même veston en jean. Évelyne trouve qu'il a l'air pouilleux. Moi, je pense qu'il est mystérieux. Depuis qu'il est arrivé, on a fait tous les soirs le trajet ensemble jusqu'à Sainte-Justine. Il sait que je sais. J'ai croisé son regard dans l'autobus. Deux fois. Mardi dernier et hier soir. Il avait l'air de m'en vouloir d'être là.

Il présente son exposé sur Gilles Vigneault. Il est surpris que personne n'ait pensé à le choisir. Un si grand poète. Il nous avoue avoir écrit son texte la veille, attendant que tout le monde ait choisi son sujet. Gilles Vigneault était son premier choix. Marc Favreau, son second. Je l'envie aussitôt d'avoir pensé à Sol, ce personnage à la fois naïf et philosophe. Mais il a préféré Vigneault. Le grand.

J'écoute Joey nous tracer la vie de ce poète. Comme l'a exigé monsieur Girard, il récite un poème de l'auteur :

« Au dernier peuplier de la file
Et qui monte avec les autres
À l'assaut des collines
Vers l'est au matin neuf

Ma chanson mon oreille

À la bouée en haut en bas
Et cale et monte
Et tangue à sa patience
Au jour et à la nuit
Au vent clair à la brume
À dix milles des côtes
À tribord des navires
À deux siècles de nous
À trois brasses du fond
À deux doigts d'un poisson

Mes yeux et ma pensée

Aux mains qui vont mourir
D'une petite fille
Qui aura ses quinze ans
Et n'en aura point seize… »

Joey serre les lèvres. Il prend une inspiration profonde, comme pour se donner du courage.

> « Au glas de l'an prochain
> Au lit de l'hôpital
> Si près d'éternité
> Et dont la mort s'approche
> Comme pour un oiseau
> À ne pas effrayer... »

Sa voix tremblote légèrement. Ses mains se crispent sur les feuilles qu'il tient.

> « Aux mains sur l'oreiller
> Ma lèvre et mon silence ».

Je suis bouleversée. Je me doute à quel point ce poème le touche. Quelqu'un se meurt à l'hôpital pour enfants. Quelqu'un de très proche. Joey prend ses feuilles et, honteux d'avoir tremblé devant nous, retourne à sa place sans regarder personne. Par respect, j'ai cessé de le dévisager.

Ce soir-là, dans l'autobus, je ne l'observe pas comme d'habitude. Comme si j'avais honte de savoir qu'il cache un terrible secret.

Je ne suis pas censée aller à l'hôpital ce vendredi. C'est ma fin de semaine chez papa. Plus ça va, moins je suis ponctuelle. Mon père et sa famille ont leur vie, leur rythme et je n'y cadre pas bien. Aussi, quand j'y vais, Sylvie, l'épouse de mon père, en profite pour faire des courses et laisse sa progéniture sous ma surveillance. Ce qui me dérange le plus, ce n'est pas qu'on me considère comme une gardienne. C'est plutôt de voir mon père aller à l'aréna avec Antoine, son fils de six ans. Papa est entraîneur de son équipe de hockey. Guillaume, le plus jeune, jouera aussi quand il aura l'âge de cinq ans, m'a-t-il assuré. Dans quatre ans. Il a déjà beaucoup de projets pour ses fils.

J'aurais aimé être un garçon. Pour aller avec mon père à l'aréna. Seule avec lui.

Je plains Virginie qui n'aura jamais l'attention de son père. À moins qu'elle ne joue au hockey. J'en doute, car ma demi-sœur apprend le ballet et le violon. Ça grince, un violon. Surtout à sept heures, le samedi matin.

À l'hôpital, Joey prend l'ascenseur et je le perds de vue. Je monte au cinquième et je vais au poste de garde. Après avoir salué les préposées, je dépose mes trucs dans un coin pour ne pas nuire. Je téléphone chez papa pour lui apprendre que je n'irai pas chez lui en fin de semaine. Je suis soulagée d'entendre le répondeur : je n'aurai pas à justifier mon absence.

La soirée s'annonce longue. Maman doit rencontrer un couple et leur annoncer que leur enfant est atteint de neuroblastome. Le diagnostic est tombé vers seize heures trente, juste avant mon arrivée. Difficile d'être porteuse de mauvaises nouvelles !

Je suis seule au poste de garde quand j'entends des pas précipités dans le corridor. Je lève la tête du labyrinthe que je suis en train de dessiner pour un petit malade qui en raffole et je découvre l'air catastrophé de Joey. Son regard affolé cherche une infirmière.

— Ma sœur vient de vomir, dit-il, et elle est prise de tremblements.

— Quelle chambre?

Il me lance le numéro et j'utilise l'interphone pour avertir.

— Aide, chambre 5-3-8!

J'ai vu plus d'une fois les infirmières lancer cet appel d'une voix calme. J'ai pris le même ton. Joey est déjà reparti. Je le suis en courant. Dans la chambre, une jeune fille squelettique est prise de violents spasmes. Elle a sali son oreiller, et son visage est souillé de vomissures. Je prends une serviette et je l'essuie.

— Enlève son oreiller, dis-je à Joey.

Nerveux, il demande:

— Où sont les infirmières?

— T'inquiète pas, elles arrivent. Comment s'appelle ta sœur?

— Sandrine.

Il est affreusement angoissé. Je mets mes mains sur les épaules frêles de la jeune fille et lui ordonne:

— Sandrine, essaie de te calmer et de bien respirer.

Pendant sa crise d'apnée, sa détresse est palpable. Je ne sais pas quoi faire. Elle serre mes bras et se redresse pour me regarder droit dans les yeux avant de se laisser retomber, inconsciente. On dirait qu'elle avait envie de crier au secours.

– Sandrine ! hurle Joey en se précipitant près elle.

L'orage est passé, voilà qu'elle respire plus calmement. Une infirmière entre en trombe et je lui cède la place. Je lui explique brièvement ce qui est arrivé. Après un examen sommaire, elle vérifie le soluté.

Maman accourt, suivie du docteur Martel, l'oncologue, et d'un préposé. Ma mère parcourt rapidement le dossier et l'autre médecin lui montre les derniers résultats.

– Joey, dit ma mère en le regardant droit dans les yeux, nous n'avons pas obtenu les résultats escomptés par la ponction lombaire que nous avons effectuée aujourd'hui. Sandrine a besoin d'une transfusion immédiatement et…

Je n'écoute plus. J'ai déjà trop souvent entendu ces phrases. Je m'assois près de la sœur de Joey et lui caresse le visage.

– Zoé, fais-nous un peu de place.

Maman me repousse un peu et l'on installe les machines pendant que le docteur Martel procède à un examen plus détaillé. Je sors de la chambre et laisse le personnel médical faire son travail. Je suis impuissante, une intruse dans cette chambre.

Pendant que je prends soin des petits enfants à l'heure du souper, je surveille le va-et-vient dans la chambre 538.

Plus tard, je croise Joey dans le corridor. Il se fait sermonner par une dame, sans doute sa mère.

— Non, mais à quoi as-tu pensé ? Pourquoi ne m'as-tu pas téléphoné sur mon cellulaire ?

Joey adopte un air renfrogné. Il ne regarde pas sa mère. Je veux passer discrètement mon chemin, mais j'entends une petite voix :

— Zozo ?

C'est Nicolas. Chambre 539. Juste en face de celle de Sandrine. Le petit malade qui aime les labyrinthes. Je le suis dans sa chambre où sa mère est présente. Une jeune femme. Elle pourrait être jolie sans ses cernes sous les yeux, ses cheveux négligemment attachés et son air inquiet.

— Tu es prêt pour ton dodo, mon amour ? dis-je en entrant.

— Oui ! Regarde ce que maman m'a apporté !

Un livre avec une centaine de labyrinthes. Celui que j'ai fabriqué est médiocre à côté de ces chefs-d'œuvre. Par chance, je ne le lui ai pas encore donné.

— Oh ! Ce qu'on va s'amuser ! lui dis-je, tendrement.

Je m'assois près du petit ange et feuillette son album avec lui. Il me montre ceux qu'il a déjà terminés et je le félicite. J'embrasse Nicolas et aide sa mère à le coucher. Elle vient toujours lui chanter une berceuse. Je reste souvent dans le corridor à l'écouter. Elle a une voix si douce, si aimante. Mais, ce soir, j'y renonce. Joey et sa mère sont tout près de la chambre de Nicolas et discutent encore.

Au poste de garde, je laisse un message à ma mère : j'ai décidé de rentrer sans l'attendre. J'attrape mon sac d'école et mon chandail noir. En me dirigeant vers les escaliers, je heurte Joey.

– Oups ! Excuse-moi !

Il me retient par le bras et marmonne à son tour une excuse. Aux ascenseurs, il appuie violemment sur l'un des boutons mais j'insiste pour qu'il me suive dans les escaliers.

– Descendre cinq étages, ça défoule.

Une fois dehors, nous nous dirigeons vers le même arrêt d'autobus. Je reste silencieuse. Je ne veux pas me montrer indiscrète. Soudain, n'y tenant plus, je lui demande :

– T'habites où ?

Pour une fille qui ne voulait pas se montrer curieuse, j'aurais pu choisir une autre question. Il m'apprend qu'il demeure à deux rues de chez moi. J'en suis étonnée. Je ne l'ai jamais vu. Normal, me dis-je par la suite, il vient d'arriver à notre école.

Sans qu'il m'y invite, je choisis de partager le même siège que lui dans l'autobus. J'ai envie de lui poser un millier de questions, mais je me tais. Son attitude refroidit mes ardeurs. Je me laisse bercer par le roulis de l'autobus. Le malheur de Joey me scie le cœur.

Je remarque ses mains. Elles sont grandes et fortes. Ses ongles sont courts et soignés. Les miens sont laids et rongés. Je serre les poings pour les cacher. J'ai toujours eu honte de mes doigts. En descendant de l'autobus, je lui demande :

— Tu as soupé ?

Il hausse les épaules. Il est plus de vingt heures, et mon ventre crie famine.

— Viens chez moi, dis-je, il y a de la pizza.

Je ne sais pas ce qui me prend de l'inviter ainsi. Peut-être parce que je le vois anéanti et que je n'ai pas envie de le laisser seul avec sa peine. Il hésite. J'insiste.

Silencieux, il marche à mes côtés. Je respecte son mutisme même s'il m'agace. Je préférerais le voir exploser, hurler.

En entrant, j'enlève mon chandail noir. Avril est chaud. Je ne reste qu'avec mon t-shirt gris. Il enlève son blouson en jean. Il n'a que son t-shirt, gris lui aussi. Nous nous ressemblons au moins sur ce point ! Il me suit à la cuisine où j'allume la radio et la syntonise sur un poste rock.

— Végétarienne, ça te va ? dis-je en mettant la pizza au four.

Il hausse les épaules. Il m'énerve.

— Tu veux du cola ?

— Une bière.

Je sursaute. Je ne sais pas si maman approuvera, mais tant pis.

– Tu veux un verre ?

Il ouvre la bouteille et boit à même le goulot. Il me suit au salon où je vais m'asseoir avec mon verre de cola. Il s'installe dans le fauteuil de maman et étend ses jambes en buvant une longue gorgée de bière. Son regard croise le mien, et je ne peux le soutenir. Je pince les lèvres et baisse les yeux.

– Docteure Jaworski, c'est ta mère ?

Difficile de nier. Il n'en pleut pas des Jaworski.

– Ouais.

Il porte à nouveau la bouteille à ses lèvres. Je lui demande :

– Comment as-tu trouvé le courage de lire ce poème, ce matin ?

Pour toute réponse, il prend une nouvelle gorgée. Je renchéris :

– Moi, je n'aurais jamais eu cette force.

– Pourtant, toi, quand tu as cité Gatien Lapointe, tu as dit que tu jetterais debout chaque enfance.

Je lui récite :

– « Ne fera-t-il jamais jour dans le cœur des hommes ? »

– Tu parlais des enfants de l'hôpital ?

J'acquiesce.

– Pourquoi passes-tu du temps à l'hôpital ? Tu n'es pas obligée d'être témoin de toute cette douleur.

À mon tour, je préfère garder le silence. On dirait qu'il m'accuse de ne pas profiter de ma bonne santé. Je pourrais courir dehors, alors que sa sœur malade en est incapable.

La sonnerie du téléphone résonne. À la troisième, je me lève. C'est papa. Il veut que je lui explique pourquoi je ne vais pas chez lui. J'invente une histoire de travail d'équipe à faire à l'école.

— Mais tu es libre demain soir?

— Eeeuh! Ouais…

Je suis prise au piège.

— Parce que Sylvie et moi, on voudrait sortir et on avait pensé que tu pourrais venir garder.

Mon cœur se brise. La révolte monte en moi.

— C'est tout ce que je suis pour toi? Une gardienne? Je suis ta fille! Quand me verras-tu comme telle?

Je raccroche, furieuse. Joey me dévisage.

— Ta mère?

— Non, mon père! Il voulait que j'aille garder ses enfants.

Le téléphone retentit à nouveau. Je n'ai pas envie d'affronter mon père. Je sais qu'il utilisera des petits mots tout doux pour m'amadouer et que, finalement, je céderai. Je décroche. Voilà, j'ai encore cédé. Je m'en veux. Je soupire et retourne au salon. Joey est debout.

— Merci pour la bière, fait-il.

Il se dirige vers la porte.

– Tu veux pas une pointe de pizza ?

Je suis surprise qu'il ne partage pas mon souper.

– Salut !

La porte se ferme en claquant et je reste là, consternée, les bras pendants. Bizarre, ce gars.

Chapitre IV

EN PARTANT, Joey a oublié son blouson en jean dans le salon. C'est ma mère qui l'a trouvé quand elle est entrée. Elle a aussi vu la bouteille de bière sur le comptoir. Elle s'amène dans ma chambre où je lis, étendue sur mon lit.

— T'es toute seule ?

— Ouais…

Sa question m'étonne.

— T'as pris une bière ?

Zut… ! Faudra que je lui raconte.

— À qui le jacket en jean ?

Aux dernières nouvelles, maman était médecin, pas détective.

— Je suis partie de l'hôpital avec Joey et je l'ai invité à venir souper.

— Joey ? Le frère de Sandrine ?

— Ouais… Il est dans ma classe. Comment va Sandrine ?

Faire diversion, c'est la seule solution que je trouve. Ça fonctionne puisqu'elle délaisse son rôle d'enquêteur pour reprendre celui du médecin.

— Les traitements de chimio sont trop puissants, la ponction l'a encore affaiblie. Elle n'a plus de forces, pauvre petite ! On espère que la transfusion, qu'elle a reçue aujourd'hui, l'aidera… Ses plaquettes sont si rares.

— Elle souffre de leucémie ?

Maman s'approche et s'assoit au pied de mon lit.

— Une leucémie myéloblastique aiguë, la pire, celle qui pardonne rarement.

— Depuis longtemps ?

— Elle avait onze ans quand on l'a diagnostiquée. C'est sa troisième rechute.

Je garde le silence et reste songeuse.

— Quel âge a-t-elle ?

— Joey ne t'a pas raconté ? s'étonne maman.

— Non. Il n'est pas très bavard.

— Elle a fêté son quinzième anniversaire la semaine dernière, m'apprend-elle.

Je pense au poème qu'il a récité. Qu'elle n'aura jamais seize ans. Mon âge ! Je demande :

— Sais-tu quel âge a Joey ?

— Dix-huit ans, je crois… Oui, il les a eus au début de mars. Sandrine lui avait organisé une fête à l'hôpital.

Je ne comprends pas pourquoi Joey a changé d'école vers la fin de l'année scolaire. Maman m'en informe :

— Parce que lui et sa famille habitent Magog. Avant, quand Sandrine était hospitalisée, Joey ne venait que les fins de semaine. Elle a ensuite eu une rémission qui a persisté pendant un an. Mais elle a été hospitalisée de nouveau peu après Noël. Sa mère a loué un appartement en ville pour être plus près de sa fille. Depuis un mois, son état se détériore. Joey préfère être au chevet de sa sœur. Sa mère a consenti à ce qu'il change d'école afin qu'il puisse la voir plus souvent.

Remplie d'espoir, je lui demande :

— Tu penses qu'elle peut avoir une autre rémission ?

À mon grand regret, maman ne répond pas. Elle se lève et abandonne sur mon lit le blouson de Joey. Elle sort de ma chambre sans ajouter un mot, le dos légèrement voûté. Je m'empare du veston. J'ai envie de le humer. Je ne sais pas pourquoi je pose ce geste. Il dégage une odeur agréable. Je l'enfile et me couche. Je décide de dormir avec le blouson. En le portant, je m'imagine prendre Joey dans mes bras pour apaiser sa peine.

Je me réveille durant la nuit. Je ne suis pas bien avec ce truc sur moi. L'esprit embrumé, je l'enlève. Puis, j'ai froid. Je me réveille à nouveau et je le remets. Pour mieux sentir ses bras autour de moi.

Chapitre V

JE VAIS RAREMENT à l'hôpital le samedi. Sauf si je m'ennuie énormément. Aujourd'hui je tiens à m'y rendre, car je m'inquiète pour Sandrine. Je mets mon chandail noir et, par-dessus, j'enfile le blouson de Joey. Vingt minutes plus tard, j'arrive à Sainte-Justine au cinquième étage où je me heurte à Joey.

— C'est mon manteau ! s'écrie-t-il en me voyant.

Oups !

— C'était plus pratique pour le transporter, lui dis-je en me sentant un peu coupable de le porter.

— Il te va plutôt bien, me complimente-t-il.

Est-ce que je rêve ou l'ai-je vraiment vu faire un semblant de sourire ?

— Comment va Sandrine ?

— Elle n'arrête pas de parler, me raconte-t-il.

Il rayonne ! Mais oui ! Je ne l'ai jamais vu dans cet état. J'en suis heureuse. Je lui tends son vêtement qu'il prend nonchalamment.

– Je vais chercher un café et un jus pour Sandrine, me dit-il. Tu m'accompagnes ?

Je sautillerais jusqu'à la cafétéria tant je suis heureuse de le voir ainsi, mais je retiens mes élans. Il me raconte à quel point il était anxieux, hier soir. Après être parti de chez moi, il s'est rendu à l'hôpital et il a veillé sa sœur toute la nuit.

– J'avais froid sans mon manteau. C'est à ce moment-là que je me suis rendu compte que je l'avais oublié chez toi.

– Je me suis emmitouflée dedans pour dormir.

C'est sorti tout seul. Je dois sûrement avoir rougi. Il me lorgne, incrédule. Je bafouille une explication, mais je ne réussis qu'à m'engloutir dans la confusion.

– Qu'est-ce que tu fais ici, un samedi ? me demande-t-il alors que nous gravissons les escaliers.

– J'étais venue porter ton blouson. Je voulais aussi prendre des nouvelles de Sandrine.

Je m'arrête au poste de garde. Il s'immobilise, surpris que je ne le suive plus.

– Viens, dit-il, je vais te présenter ma sœur.

Je serre les lèvres. Je ne suis pas certaine de vouloir rencontrer sa sœur. Son regard se fait insistant. Ses yeux brillent de bonheur. Je ne peux refuser. Quand j'entre dans la chambre 538, Sandrine semble surprise de me voir. Son visage d'apparence lunaire, son crâne dégarni et ses oreilles prédominantes sont à l'image des patients qui reçoivent des traitements de chimiothérapie. Pourtant, elle sourit.

— Don Juan, va ! s'exclame-t-elle.

— Eh ! riposte aussitôt son frère. Tu ne m'as même pas laissé le temps de te la présenter.

C'est évident : une saine complicité les unit.

— Sandrine, voici mon amie... euh... !

— Zoé ! que je m'empresse d'ajouter.

— Tu ne connais même pas son nom ?

Embarrassé, Joey rougit.

— J'avais un trou de mémoire. Je ne me souvenais que de son nom de famille, s'excuse-t-il.

— Qui est... ?

— Jaworski !

Sandrine me regarde avec des points d'interrogation dans les yeux.

— Tu es parente avec docteure Jaworski ? Tu es sa sœur ?

Soupir. Je hais quand on pense que ma mère et moi sommes sœurs.

— C'est ma mère.

— Ta mère ? Non ! s'étonne Sandrine.

Expliquer que je suis une erreur de jeunesse de mes parents m'intimide. Elle avait dix-sept ans quand je suis née. Alors, si on ajoute mon âge, on obtient le sien : trente-trois. Pire que tout, elle ne les fait pas. On dirait qu'elle en a vingt-huit.

Voilà cinq ans que ma mère et moi habitons ensemble. Avant, nous logions chez ses parents. Papa a trois ans de plus qu'elle. Il s'est envolé quand elle lui a appris qu'elle était enceinte, mais il est revenu. Après ma naissance, il est resté quelque temps avec nous chez mes grands-parents. Ça n'a pas dû lui plaire d'avoir un enfant parce qu'il est reparti avec son sac à dos. Trois mois en Europe. Il disait qu'il devait vivre sa jeunesse. Il y a rencontré Sylvie. Il a bien essayé de vivre avec ma mère en revenant, mais il ne devait penser qu'à Sylvie puisqu'il l'a définitivement quittée cette année-là pour s'établir avec sa nouvelle flamme.

Même si elle avait un enfant, mes grands-parents ont encouragé ma mère à poursuivre ses études. Elle a choisi la médecine, puis la pédiatrie. Elle a étudié sans relâche. Papy et mamie s'occupaient de moi, s'assuraient que mes devoirs étaient bien faits. J'ai vécu une belle enfance. Il y avait trois adultes qui prenaient soin de moi. Trois et demi. Parce que papa venait quelquefois me chercher. J'avais dix ans quand Antoine, mon demi-frère, est né. Mon univers a alors basculé. Papa m'obligeait presque à m'extasier devant ce microbe qui empoisonnait déjà ma vie. J'étais tellement jalouse des courbettes de mon père face à Antoine que j'en ressentais des nausées.

Devant Sandrine, je me sens penaude.

— C'est l'injustice de la vie, lui dis-je. Je n'ai pas été voulue. Je suis un poids, mais je suis en santé. Toi, tu as sûrement été désirée mais tu es malade. C'est pas juste, la vie.

Joey a perdu sa jovialité. Je pense à voix haute :

— C'est moi qui devrais être dans ce lit et toi qui...

J'allais dire : « Toi qui devrais voir le printemps. » Je ne l'ai pas dit pour ne pas tourner le fer dans la plaie. J'ai quitté la chambre sans rien ajouter.

Je suis arrivée chez mon père en fin d'après-midi. Il a fait un effort pour me demander comment ça allait à l'école avant de s'enfuir avec Sylvie.

Chapitre VI

LE LENDEMAIN MIDI, Virginie, du haut de ses quatre ans, me demande pourquoi je suis restée à coucher. Patiente, je lui explique :

— Parce que ta maman et ton papa sont revenus si tard que j'ai préféré dormir ici.

En fait, mon père et Sylvie ont regagné le domicile familial à deux heures du matin et ont ronflé jusqu'à dix. J'ai dû me lever à l'aube pour m'occuper de Guillaume. Ce bébé est vraiment matinal !

— Tu es la seule gardienne qui fait dodo ici ! dit Virginie de sa voix aiguë.

Je lève la tête vers mon père qui est en train de boire son café. Il a failli s'étouffer avec sa gorgée. Embarrassé, il me jette un coup d'œil furtif. Je lui crache la vérité :

— Même la petite me prend pour une gardienne !

La larme à l'œil, j'embrasse les enfants avant de partir. Mais pas mon père. Lui, je l'évite.

Marcher me détend un peu, et je tente d'oublier papa et les paroles de Virginie. Le soleil est radieux et les bourgeons ont des allures de *pop-corn* prêt à éclater. Je songe à Sandrine qui n'a pas la chance de goûter le printemps. Mes pas me conduisent à l'hôpital puis au cinquième étage. Dans la chambre 538, il y a un homme et cette femme qui avait sermonné Joey. Ils doivent être les parents. Je n'entre pas. Je laisse un mot au poste de garde pour qu'on le remette à Sandrine.

Je suis désolée pour hier. Je pense beaucoup à toi.
Zoé.

Je suis navrée d'avoir commis une gaffe et de lui avoir comme ainsi dire reproché d'avoir été désirée par ses parents. Ce n'est quand même pas sa faute si elle l'a été. D'ailleurs, je ne sais même pas si sa naissance a été planifiée.

Lundi matin, à l'école, Joey ne m'accorde aucune attention, comme si nous ne nous étions jamais parlé durant la fin de semaine. Son attitude me met en colère. De plus, Rémi n'arrête pas de me narguer. Il m'impatiente carrément. Quelle journée épouvantable ! J'ai subi un examen de mathématiques ce matin en rentrant et voilà l'examen de français sur les exposés. Les questions sur le mien sont les plus difficiles. Je suis certaine que je serai la seule à y répondre. De qui Gatien Lapointe était-il le disciple ? Quel était son pari ?

J'imagine que c'est le même pari que Sandrine s'est lancé : celui de ne pas mourir. Je tremble en écrivant la réponse.

Après l'école, Joey n'est pas dans l'autobus pour se rendre à Sainte-Justine. Arrivée à l'hôpital, je jette un coup d'œil dans la chambre de Sandrine. Elle est seule. Dès qu'elle sent ma présence, elle délaisse son roman et son visage s'éclaire aussitôt.

– Zoé !

– Salut !

J'ai une petite voix timide. Je ne sais pas si c'est elle qui me paralyse ou le fait de la voir si chétive.

– J'ai eu ton petit mot, dit-elle. Tu n'as pas à t'en faire, je ne t'en veux pas.

Je grimace un sourire. Je lui demande :

– Comment te sens-tu ?

– Faible… Je n'ai pas réussi à manger, aujourd'hui. Ma mère est découragée.

– Ta mère est venue ?

– Elle me visite tous les après-midi. Puis, vers seize heures trente, c'est Joey qui arrive et reste jusqu'à vingt heures trente. Il fait ses devoirs ici. Il m'a dit que vous preniez le même autobus, que c'est ainsi que vous avez fait connaissance. D'ailleurs, pourquoi n'est-il pas arrivé ? Vous n'avez pas voyagé ensemble ?

– Non. Je ne l'ai pas vu après l'école.

Étonnée, elle hausse les sourcils. Les sourcils… façon de parler, puisqu'elle n'en a plus. Curieuse, elle demande :

— Vous vous êtes disputés ?

Pour se disputer, il faudrait se parler. De la tête, je lui fais signe que non.

Elle s'inquiète de l'absence de son frère. Je ne sais pas quoi lui répondre. J'aurais dû lui inventer une excuse, lui dire qu'il m'avait demandé de lui tenir compagnie en attendant qu'il arrive. J'y pense : pourquoi prendrais-je la défense de Joey ? Il n'en vaut pas la peine. Elle me regarde avec un petit air malicieux. Je réponds un peu brusquement :

— Quoi ?

Je me sens sur la défensive.

— Je suis contente que mon frère ait une blonde.

Aussitôt, je réagis :

— Je ne suis pas sa blonde !

— Oh… !

À son tour, elle est embarrassée.

— J'ai cru que… la façon dont il me parlait de toi…

Moi, la blonde de Joey Féréquelque-chose ? On s'observe un moment, un peu mal à l'aise toutes les deux, puis on s'esclaffe. Je lui parle alors du bénévolat que j'effectue à l'hôpital et de mon attachement pour certains petits patients.

— Les enfants malades, ils s'en vont d'ici parfois ?

– Oui. Certains rentrent chez eux. Guéris. Pour la vie. J'en suis toujours très heureuse.

– Mais… Je veux dire… Est-ce qu'ils meurent ?

Je ne peux pas lui raconter qu'il n'y a pas que d'heureux dénouements. Je lui avoue dans un murmure :

– Il arrive parfois que certains ne gagnent pas la bataille.

Elle garde le silence pendant un moment.

– Je ne gagnerai pas la mienne, déclare-t-elle enfin.

Je ne sais pas quoi dire. Maman m'a révélé qu'elle était condamnée. Je ne peux pas lui demander d'espérer encore et encore.

– Faut pas que tu en parles à Joey. Je n'ai pas baissé les bras. Je connais seulement la fin de l'histoire. Lui, quand on regarde un film, il ne veut jamais qu'on lui raconte la fin.

Je prends sa main froide et la serre entre les miennes. Elle n'a presque plus d'ongles. Elle ne se les ronge pas comme moi, c'est la chimio qui les ronge pour elle.

– C'est pour Joey que j'ai peur, pas pour moi. Eh ! dit-elle en souriant, Joey *love* Zoé ! Ça fait mignon !

J'éclate de rire, même si j'ai les larmes aux yeux.

– Toi, tu en as eu des copains ?

Je me fais curieuse afin de faire diversion.

– Yannick. C'est mon amoureux depuis la maternelle. C'est aussi mon meilleur ami.

– Après moi, j'espère ! s'exclame joyeusement Joey qui entre dans la pièce. Salut Sandrine !

Il lui donne une bise sur chaque joue. Il me salue brièvement. Qu'est-ce que j'ai pu lui faire pour qu'il devienne aussi distant ?

– Bon… Je te laisse avec ton frère, dis-je à Sandrine en me levant. Je vais aller voir mes petits amis. Je reviendrai te voir avant de partir.

Je n'ai pas osé regarder Joey. C'est fou comme il est difficile d'approche !

– J'espère que tu reviendras me voir ! me lance-t-elle. En tout cas, mon frère serait très heureux si…

– Sandrine ! s'écrie Joey.

J'entends leurs rires alors que je suis déjà dans le corridor. Joey en a un très beau. Dommage qu'il s'en serve si rarement.

Vers dix-huit heures, maman m'annonce qu'elle est prête à partir. Avant de descendre, je fais un saut à la chambre de Sandrine. Par je ne sais quel élan, je lui fais la bise et lui murmure à l'oreille :

– Dors bien, Sandrine !

En passant derrière Joey, je mets ma main sur son épaule, sur laquelle j'exerce une petite pression, comme pour l'encourager. Je lui souffle à l'oreille :

– Bonne nuit, Joey !

Il ne répond pas. Il a peut-être bredouillé quelque chose, mais je n'ai pas compris. J'en ai marre de son air bête !

Chapitre VII

Mardi. Le prof de français nous remet nos copies corrigées. Il est déçu. La moyenne est de 58 %. Joey a obtenu le meilleur résultat : 95 %. J'ai eu 82 %. Il m'agace parce qu'il n'a pas pris de notes et qu'il a mieux réussi que moi.

Monsieur Girard nous annonce un travail d'équipe. Par groupes de quatre. Je regarde à droite. Jade, Victor et moi, nous nous faisons un signe. Qui sera le quatrième ? Jade se penche vers Joey. Il semble d'accord. Sujet : la poésie a-t-elle encore sa place en ce début de siècle ? Le prof exige un plan pour la fin du cours. Quarante minutes, c'est tout ce dont nous disposons. Nous ne prenons pas le temps de déplacer nos bureaux ; nous n'approchons que nos chaises autour du bureau de Jade.

— Bon, dit Victor, que pensez-vous de cette question sur la poésie ?

– Moi, ajoute Jade, je crois que la poésie a encore sa place. Qu'est-ce qu'on serait sans Shakespeare, Hugo et tous les autres ?

Victor réplique aussitôt :

– On n'écrit plus ainsi, aujourd'hui.

– Oui, mais les écrits restent, et on lit toujours ces grands auteurs, renchérit Jade.

– Mais on n'écrit plus ainsi, répète Victor. Et d'ailleurs, on les lit parce qu'on nous y oblige à l'école. Sans quoi on ne les lirait pas.

Je me permets d'ajouter mon grain de sel :

– L'écriture a changé, mais la poésie demeure.

– On n'achète plus de poésie. En tout cas, ça ne fait pas des *best-sellers* ! déclare Victor, qui veut absolument avoir raison.

– Je ne suis pas d'accord, réagit Joey.

Surpris qu'il ouvre la bouche, nous nous tournons vers lui. Nous attendons une explication.

– Daniel Bélanger est un poète. Comme les chanteurs et les paroliers. Tabra, Plamondon, Cabrel et Richard Desjardins.

Joey a raison et l'idée est géniale. Il poursuit :

– Sol remplit encore des salles, sans oublier Vigneault qui est si aimé ! Jean-Pierre Ferland est un grand poète.

Joey étale ses idées. Il cite Jean-Pierre, et je m'exclame :

– Ça, c'est la cerise qui fait déborder le sundae ! Je ne croyais pas que tu étais un fan de Ferland !

Mes trois compagnons éclatent de rire et je ne comprends pas ce que j'ai dit de si drôle. Mais de voir Joey si détendu m'enchante. Il me taquine aussitôt.

— On dit « la cerise sur le sundae ».

— C'est ce que j'ai dit...

Je me rends compte qu'il a envie de se moquer encore de moi, mais monsieur Girard nous rappelle à l'ordre. Nous réussissons à terminer notre plan à temps et, en sortant de la classe, Victor propose que nous nous revoyions à la fin des cours pour travailler ensemble.

— Moi, je ne peux pas.

Je savais que Joey refuserait qu'on se rencontre après les cours. Je tente de trouver une solution.

— Écoutez, on sépare le travail en deux. Jade et Victor, vous trouvez des notes sur les auteurs-compositeurs-interprètes et Joey et moi, nous travaillons sur les paroliers. Ça vous va ?

— Pourquoi Joey et toi, s'il ne peut pas après les cours ? demande Victor, cherchant la faille.

— Parce qu'on habite à deux rues l'un de l'autre et...

— Et qu'à vingt heures trente, je peux me libérer et aller chez Zoé, rétorque Joey.

— Tu sais où elle habite ? s'étonne Jade.

Elle est surprise de savoir que cet air bête et moi avons peut-être déjà parlé ensemble.

– Non, répond Joey, pas vraiment, mais on prend le même autobus le soir, et je sais qu'on reste dans le même coin.

Son ton est sec. Pourquoi n'a-t-il pas dit qu'il était venu chez moi vendredi dernier ?

Dans l'autobus, ce soir-là, il choisit un siège éloigné du mien. Il est bizarre, ce gars ! Dans le métro, il monte dans un autre wagon. Dernier autobus, je fais exprès pour le suivre jusqu'à son banc. J'attaque aussitôt :

– Tu as honte de moi ? Ma présence te nuit ? Pourquoi m'évites-tu ?

Il regarde dehors. Ça m'insulte. En plus, il ne me répond pas.

– J'ai fait quelque chose qu'il ne fallait pas ?

Je continue à le bombarder de la sorte jusqu'à ce qu'il perde patience.

– Écoute, Zoé, j'ai besoin de ce temps pour me préparer à voir ma sœur. Chaque fois, c'est un choc. Et, toutes les fois, je suis soulagé de voir qu'elle est toujours vivante.

Je serre les lèvres, navrée d'avoir été aussi désagréable. Je pose ma main sur la sienne et m'excuse. À l'avenir, je respecterai son silence.

– On peut quand même s'asseoir ensemble, Joey. Je ne t'adresserai pas la parole, je le jure. J'en profiterai pour lire et je ne te dérangerai pas, promis. Mais je t'en prie, ne laisse plus un gros monsieur qui pue s'installer à côté de moi comme tantôt dans le premier autobus !

Je le fais sourire et je m'en félicite. Je retire ma main et il la reprend aussitôt. Je suis surprise. Il regarde par la fenêtre puis serre à nouveau ma main en me confiant :

— Des fois, j'ai peur.

Il a les yeux d'un enfant angoissé. Je ne fais aucun geste pour le réconforter : j'ai trop peur qu'il me repousse.

Rendus à l'hôpital, je décide de l'accompagner jusqu'à la chambre de Sandrine. Elle semble dormir lorsque nous arrivons. Joey est inquiet : elle ne dort jamais l'après-midi.

— Elle a subi une ponction lombaire aujourd'hui, nous annonce une infirmière qui entre avec son attirail pour prendre la pression artérielle des patients. La pauvre petite a une céphalée horrible et elle a eu très mal.

— Encore une ponction lombaire ? s'exclame Joey.

— On a aussi fait un prélèvement de la moelle osseuse, lui explique la garde-malade. Sandrine s'affaiblit et ne reprend aucune force. Docteure Jaworski voulait vérifier pourquoi elle ne répond pas bien à la médication.

Sandrine dort toujours. Elle ne s'est même pas réveillée quand l'infirmière a pris sa pression.

— On lui a donné de la morphine afin qu'elle se repose, ajoute l'infirmière. Elle a beaucoup souffert durant la ponction.

Joey prend une grande respiration et tremble légèrement. Je lui caresse le dos. Il a un geste d'impatience et me lance :

– Laisse-moi, Zoé. Va voir tes petits amis.

Pourquoi ce changement d'attitude ? Pourquoi cherche-t-il à s'éloigner de moi ? J'insiste, je reste près de lui. Je le sens trembler sous ma main et, comme il se tourne vers moi, prêt à tomber dans mes bras, sa mère (du moins, je suppose que c'est sa mère) entre dans la pièce.

– Tiens, tu es là ? Est-il déjà seize heures trente ?

Joey se métamorphose en iceberg. La dame hausse les sourcils en posant son regard sur moi.

– Tu n'es pas obligé d'amener tes petites amies voir le spectacle !

Joey lance un juron. Il m'empoigne la main et nous quittons précipitamment la chambre. Il dévale les escaliers et je le talonne. Je le rejoins dehors alors qu'il porte ses deux mains à sa tête, écœuré. Je le prends dans mes bras et le serre très fort. Il tente de me repousser, pas trop, juste assez pour que j'insiste. Alors, il s'abandonne contre moi et pleure à chaudes larmes. Il enfouit son visage dans mon cou, pensant que je ne l'entendrai pas sangloter. Un gars, c'est toujours trop fier pour pleurer, même quand sa sœur souffre.

– Allons marcher, lui proposai-je.

Joey fait quelques pas à mes côtés. Son regard est dur.

– Est-ce que je peux aller chez toi ? quémande-t-il. Je n'ai pas envie de revoir ma mère ce soir.

Sa requête me surprend si bien que j'hésite à lui répondre.

— Oublie ça ! lance-t-il, impatient.

Il se précipite vers l'arrêt d'autobus. Je dois courir derrière lui. Je lui crie :

— Attends-moi, Joey !

— Laisse-moi respirer, s'écrie-t-il sans me regarder.

Je mords l'intérieur de ma joue et le suis jusqu'au coin de la rue où il s'arrête. L'envie me prend de l'envoyer paître.

— Tu ne peux pas venir vers moi quand tu veux, Joey, et me laisser tomber par la suite quand t'as plus besoin de moi. Je suis ton amie ou je ne la suis pas. Moi, j'ai vraiment envie d'être ton amie, mais pour ça, il faudra que tu me laisses un peu de place dans ta vie.

Il étire le cou afin de voir si l'autobus arrive. J'ai envie de lui dire d'aller au diable, mais je me retiens. De justesse. Au lieu d'exploser, je m'approche tout près de lui et enlace mes doigts entre les siens. Il tremble légèrement. Il a trop de fierté, et je sens qu'il s'enfuira si je ne choisis pas les bons mots.

— J'aimerais beaucoup que tu viennes chez moi. Je serai inquiète si tu restes seul.

Il me surprend en ouvrant ses bras pour que je m'y blottisse. Je ne dis rien de peur qu'il ne se sauve. J'ai l'impression d'apprivoiser un petit animal sauvage. Je dois éviter tout mouvement brusque.

Enfin, l'autobus s'arrête devant nous. Le chauffeur, impatient, nous invite à monter.

– Zoé, j'ai changé d'idée. Je retourne à l'hôpital.

Il a l'air désemparé. Je ne cherche pas à comprendre ce revirement de situation. Je le suis. Il met ses mains dans les poches de son jean et marche rapidement. Il ne me porte pas la moindre attention. De retour à Sainte-Justine, je gravis les escaliers derrière lui, telle une ombre.

Je n'entre pas dans la chambre de Sandrine puisque sa mère est présente. Par contre, je suis soulagée d'entendre la voix de la jeune fille. La mère de Joey sort de la chambre et je me réfugie dans celle du petit Nicolas. Je prends le temps d'écouter ses dernières nouvelles : ses plaquettes sont stables et si tout va bien, à la fin de la semaine, il sortira. Sa mère me le confirme d'un signe de tête. J'embrasse mon jeune protégé et, dans un élan, je fais la bise à sa mère. Les bonnes nouvelles m'enivrent toujours !

Au moment où je sors de la chambre de Nicolas, j'aperçois Joey dans le corridor. Il se fait sermonner par sa mère. Cette dernière ne m'a pas vue.

– Pourquoi es-tu parti ? J'avais un rendez-vous et je comptais sur toi pour rester auprès de Sandrine. Par ta faute, je suis en retard chez le dentiste. Je ne peux pas me fier à toi, tu es toujours étourdi et tu ne penses qu'à ton nombril...

Je ne connais pas beaucoup Joey, mais il est tout sauf étourdi et concentré sur son nombril. Il ne pense qu'à sa sœur.

— J'm'excuse, maman, répond-il d'une voix nerveuse.

Il paraît démoli et je le plains. Du poste de garde, où je suis, je remarque son dos qui se courbe. Sa mère s'en va enfin et Joey, penaud, soupire. Son regard croise le mien. Je rougis, honteuse d'être la spectatrice de leur scène. Il s'approche à pas lents.

— Je peux aller chez toi, ce soir? me demande-t-il à nouveau.

Je le rassure d'un tendre sourire.

— Avec plaisir!

Joey m'invite dans la chambre de Sandrine où nous allons faire nos devoirs. Sa sœur nous aide dans notre recherche en français et démontre beaucoup d'intérêt pour le sujet. Joey propose que nous soupions avec elle. J'accepte avec joie. Je rencontre ma mère dans le corridor alors que je me rends à la cafétéria.

— Je suis sur mon départ. Tu ne reviens pas à la maison avec moi? demande-t-elle.

— Non, je reste pour souper. Je vais partir avec Joey un peu plus tard.

Je vois la surprise se peindre sur son visage, puis l'envie lui prend de m'étriver. Je lui fais de gros yeux et elle se calme.

Vers vingt heures trente, Joey et moi quittons Sandrine. Elle a bien aimé faire le travail de français avec nous, même si elle était visiblement fatiguée. Dans l'autobus, Joey demeure silencieux. Je respecte son silence parce que je sais que mon nouvel ami déteste que je lui fasse la conversation. En descendant, il me suit. J'en déduis qu'il n'a pas changé d'idée et qu'il ne veut pas retourner chez lui.

Quand nous entrons, nous trouvons maman au salon en train de lire. En voyant Joey, elle prend un air moqueur. Par chance, elle ne dit rien. Elle s'étire, bâille.

— Je vais aller lire dans mon lit, annonce-t-elle, narquoise. Bonne nuit !

J'allume la télé. Je suggère à Joey :

— Tu devrais téléphoner à ta mère pour lui dire que tu es ici.

— Non, je n'ai pas le goût de lui parler. Ma mère est tellement fatiguée, ces temps-ci, qu'elle me reproche n'importe quoi. Je ne suis pas mieux. Moi aussi, je me fâche pour un rien. On se dispute tout le temps. Je n'ai vraiment pas envie de la revoir, ce soir. Je peux rester pour dormir ?

J'accepte même si je pense que ça ne l'aidera pas à améliorer sa relation avec sa mère.

— Où vais-je dormir ? demande Joey, qui se rend compte que nous ne possédons que des causeuses, trop courtes pour sa taille.

— Dans mon lit.

Je zappe, insouciante.

— Avec toi ?

Je me tourne, surprise de sa question. Il a un petit air amusé que je ne lui connais pas. Je le trouve soudainement très beau. Je n'avais pas remarqué que ses yeux coquins lui donnent un charme fou. Je le trouve attirant.

— Moi, je vais dormir avec ma mère, dis-je.

Je reporte mon attention sur la télévision et zappe encore. Un peu nerveuse de l'avoir trouvé si beau, si… désirable ?

— On aurait pu dormir ensemble…

Il l'a dit d'une petite voix timide. Je rougis.

— J'aurais été sage, ajoute-t-il.

Il me fait sourire. De plus, il est mignon comme tout. Un peu comme un enfant qui demande quelque chose et assure qu'il sera très gentil. C'est très attendrissant et… convaincant.

— Je ne sais pas si moi j'aurais été sage…

Mes paroles sont sorties d'un jet. Je me rends compte que ce que je viens de dire est très subjectif. Je ne rectifie pas mes propos de peur de bafouiller. Je dois rougir encore plus. J'ai beau me concentrer sur la télé, je sens son regard posé sur moi. Je ne peux m'empêcher de délaisser l'écran pour voir son visage. Il a l'air étonné. J'ai l'impression que je dois m'expliquer.

— C'est pas ce que je voulais dire… Je n'ai jamais dormi avec un gars. Je ne sais pas comment j'aurais réagi.

J'avais raison. J'aurais mieux fait de me taire.

— Zoé ? crie maman de sa chambre.

– Oui ?

J'avais presque oublié sa présence. J'espère qu'elle n'a pas entendu ce que je viens de dire.

– Je compte sur vous deux pour que vous ne vous couchiez pas trop tard. Vous avez de l'école demain.

– Oui, maman.

Je me rends à la cuisine et me verse un verre de lait que je bois d'un trait. Joey me rejoint, prend le même verre et s'en verse. J'en suis confuse : je n'ai jamais été aussi intime avec un gars, au point de partager le même verre.

– Il vaut peut-être mieux que j'aille dormir chez moi.

– Tu peux rester si tu veux.

Il a plongé son regard dans le mien. Il se penche et m'embrasse doucement. C'est mieux que dans mes rêves. On ne m'a jamais si bien embrassée. Il niche son nez dans mon cou puis y glisse ses lèvres. Je divague sous un flot de caresses.

Soudain, Joey relâche son étreinte, recule d'un pas puis se dirige vers la porte d'entrée. Il enfile ses souliers.

– Mais qu'est-ce que tu fais ?

– Il vaudrait mieux que je ne dorme pas ici.

– Mais pourquoi ?

Il a retrouvé son air froid et distant. Dès lors, je sais qu'il ne parlera plus. Il s'en va et referme la porte. Je hausse les épaules. J'ai l'impression qu'il faudra que je m'habitue à ce gars.

Chapitre VIII

JE DORS d'un sommeil agité et, à cinq heures, je me réveille. Je me lève et je décide d'aller à l'hôpital. J'ai envie de déjeuner avec Sandrine.

Puisqu'il n'y a pas d'autobus à cette heure si matinale, je prends mon vélo pour me rendre à Sainte-Justine. J'aime voyager en vélo, surtout tôt le matin. Être parmi les premiers spectateurs qui voient le jour se lever me fait me sentir privilégiée. Les bruits de la ville ne sont pas les mêmes. Ils sont plus timides, plus doux. Trente minutes plus tard, j'arrive à l'hôpital, les poumons gonflés d'air frais.

— Tu es matinale, ce matin, me lance l'une des infirmières.

— Je viens voir une amie. Pourriez-vous me dire quand elle sera réveillée ?

L'infirmière m'assure que Sandrine est réveillée depuis belle lurette. J'entre doucement dans sa chambre et la sœur de Joey m'accueille avec le sourire. Comment ces personnes malades réussissent-elles à paraître heureuses ?

– Zoé ! On m'a dit que j'avais de la visite, mais j'étais loin de me douter que c'était toi.

Je m'approche d'elle et lui fais la bise.

– Tu as bien dormi ?

– Affreux !

Elle est radieuse. Sa réponse ne va pas avec son air. C'est à n'y rien comprendre.

– Qu'est-ce qui s'est passé ?

– Les cauchemars me tourmentent, me confie-t-elle. C'est vraiment horrible.

Son visage s'enveloppe de tristesse.

– Quand j'aurai moins peur, je dormirai mieux. Pour l'instant, je ne parviens pas à me calmer.

– De quoi as-tu peur ?

Cette question, c'est maman qui me l'a apprise. Pourtant, en ce moment, sa réponse m'effraie. Sandrine n'est pas une patiente parmi tant d'autres. Elle est la sœur du gars à qui j'ai offert de partager mon lit, hier.

– J'aurais aimé vivre un peu plus longtemps, me confie-t-elle.

Je ne peux quand même pas lui dire d'espérer voir ses petits-enfants !

– Qu'est-ce qui t'inquiète, Sandrine ?

– J'aurais aimé voir mon frère heureux.

Sa réponse me surprend.

– J'ai peur qu'il soit amer à jamais.

– Oh !

— Il m'a dit de me battre et de me battre encore, et que la vie ne vaut pas la peine d'être vécue si je ne suis pas là. Je le décevrai si je disparais.

Comment peut-elle s'apitoyer sur le sort de Joey alors qu'elle va bientôt mourir ?

— Mon frère, il est comment à l'école ? lance-t-elle alors que je suis plongée dans mes pensées.

Je veux être vague.

— Quand il est entré dans le cours de français, j'étais en train de faire mon exposé. Je ne me doutais pas qu'il allait prendre autant de place dans ma vie.

— Et dans ton cœur, complète-t-elle.

Je serre les lèvres et pèse les prochains mots.

— Parfois, je voudrais qu'il dégage, ne plus jamais le revoir. Mais le plus souvent, je lui en veux de ne pas me prendre dans ses bras. Surtout, de ne pas me laisser l'approcher.

Elle soutient mon regard après cette confidence.

— Je souhaite que tu réussisses à l'apprivoiser.

Je n'ai jamais vu quelqu'un d'aussi sincère. Je lui demande :

— Pourquoi t'inquiètes-tu autant pour lui ?

Elle se cale dans ses oreillers.

— Je sais que je vais mourir. Mes chances de guérison sont minces. C'est ta mère qui me l'a appris. Je lui suis reconnaissante de n'avoir pas tenté de me donner de faux espoirs. Par contre, Joey m'inquiète beaucoup. Il se refusera des joies, des bonheurs, parce que je n'y ai pas eu droit.

Elle ferme les yeux, puis elle soupire.

– Ce n'est pas une vie, dit-elle. Être toujours malade, c'est l'enfer sur terre.

À son âge, on ne rêve pas de mourir. On rêve plutôt d'amour, de cinéma et de sorties. C'est à tout ça que je réfléchis quand, beaucoup plus tard, je me rends à l'école après avoir quitté Sandrine.

En mathématiques, le premier cours du jour, Joey ne m'adresse pas la parole. Qui pourrait croire que je l'ai invité à partager mon lit?

– Pourquoi regardes-tu autant le nouveau? me questionne Évelyne après le dîner, au moment où nous sortons de la cafétéria.

Nous nous arrêtons près des casiers. Joey passe devant nous et m'ignore encore une fois. Il m'énerve.

– Il a les cheveux trop longs, remarque Évelyne.

Moi, j'aime bien les cheveux de Joey. Mais je déteste son air fuyant. Il est hypocrite et il m'exaspère.

Je n'ai pas très envie d'aller au cours de français. Faire un travail d'équipe ne me dit plus rien. Je n'ai pas envie non plus de jouer la comédie, d'agir comme s'il n'y avait rien entre lui et moi.

— T'as l'air fâchée, Zoé, me reproche aussitôt Jade alors que nous nous sommes regroupés pour le travail de poésie.

Je réplique :

— Je suis fatiguée.

— T'as pas bien dormi?

— Non, je n'ai pas vraiment dormi.

— Je t'ai téléphoné ce matin à sept heures, m'apprend Victor, et il n'y avait pas de réponse.

— Pourquoi m'as-tu téléphoné?

— Je n'avais pas fait mon devoir de math et je n'avais pas mon agenda. Je n'arrivais pas à me souvenir quelle page on devait terminer. T'étais déjà partie?

— Ouais, je suis partie tôt. J'ai fait un saut à l'hôpital avant de venir à l'école.

— T'as encore des petits protégés? s'informe Jade.

Je sais que Joey écoute attentivement.

— Je suis allée déjeuner avec l'une d'elles.

Joey apprendra ce soir que c'est bien avec Sandrine que je suis allée déjeuner. Pour l'instant, je laisse le doute planer. Je me fous de le voir curieux de savoir si c'est bien avec elle que j'étais. Je m'en balance vraiment. Il n'avait qu'à me parler ce matin.

Chapitre IX

JE NE VAIS PAS à l'hôpital après l'école. Je prends l'autobus et le métro en direction du Vieux-Montréal. J'ai eu une idée et je sais que j'y trouverai ce que je désire. J'entre dans une boutique et vois l'objet convoité. Il y en a de toutes les tailles. J'ai besoin du plus grand. Tant pis pour le prix.

À vingt et une heures, j'ai déjà enfilé mon pyjama, prête à aller dormir. Je suis crevée.

Maman est partie au resto avec sa copine Diane. Elles sont amies depuis le secondaire. Les plus grandes amies du monde.

Je suis en train de me brosser les dents quand on frappe à la porte. Je risque un coup d'œil par la fenêtre de la salle de bains et aperçois Joey. Je vais ouvrir, la bouche pleine de dentifrice et lui fais signe de m'attendre dans le vestibule, le temps de me rincer la bouche. Ce que je fais avec beaucoup de vigueur, furieuse qu'il m'ait évitée toute la journée et qu'il soit là. Je déteste ce petit jeu.

Quand je reviens, je le trouve assis au salon où il a pris ses aises. Je fulmine encore plus ! Je n'ai pas le temps d'exploser puisque la sonnerie du téléphone retentit. Papa ! Il désire me voir afin qu'on s'explique. Il s'en veut depuis dimanche et voudrait se racheter.

— Papa, pas cette semaine. J'ai une tonne de devoirs et je ne peux pas… Non, ce week-end non plus, j'ai des projets. Non ! Je ne t'en veux pas, je ne peux pas, tout simplement. Non, je ne sais pas encore si je vais aller chez toi l'autre fin de semaine. Papa ! J'ai bientôt dix-sept ans ! J'ai passé l'âge d'aller chez toi une fin de semaine sur deux ! J'ai des engagements, et il m'est difficile de les annuler. Quels genres d'engagements ? Bah ! Des sorties avec des amis et tu sais, des choses… Non ! Je n'ai pas d'amoureux !

J'ai noté un demi-sourire sur le visage de Joey.

— Oui, on s'appelle bientôt. Promis !

Je retourne au salon. Joey a posé ses pieds sur la table à café. J'aurais envie de lui dire de foutre le camp, qu'il me dérange et qu'on n'arrive pas chez les gens à l'improviste.

— Sandrine a eu ses résultats. Ta mère t'en a parlé ?

Je me sens désarmée.

— Non. Secret professionnel.

Faux. Parfois maman se confie. Sauf que je ne l'ai pas vue, ce soir. Elle était déjà partie quand je suis revenue du Vieux-Montréal.

Je dévisage Joey et je n'ai soudainement plus envie de piquer une crise. Il affiche un air misérable. Je vais m'asseoir près de lui.

— La transfusion n'a rien donné, la ponction non plus.

Son teint est livide.

— Pourquoi ne lui fait-on pas une greffe ?

J'ai pris une voix plus douce afin de ne pas l'effrayer. Il ressemble de plus en plus à un animal sauvage que je tente d'approcher.

— On l'a déjà fait, il y a un an. Ça lui a permis d'avoir une rémission, mais là…

— La chimio, la radio ?

— Y'a plus grand-chose à faire…

Il serre les lèvres. Compatissante, je pose ma main sur la sienne.

— Pourquoi n'es-tu pas venue à l'hôpital après l'école ? me demande-t-il.

Je réponds à brûle-pourpoint :

— Pourquoi ne m'as-tu pas parlé à l'école ?

Il sursaute.

— Tu as tes amis, tu ne veux peut-être pas qu'on sache que tu…

Il hésite.

— Quoi ?

— Que tu me fréquentes.

J'ouvre grand les yeux devant la sottise qu'il vient de me lancer.

— Pourquoi j'aurais honte ?

— J'imagine que tu as dit à toutes tes amies que ma sœur est malade ?

— C'est peut-être toi qui as honte d'être vu avec moi, je suppose.

Il hoche négativement la tête. Il semble tout mêlé. C'est la confusion totale! Je suppose que la tristesse l'empêche de penser correctement.

— J'arrive comme ça dans ta vie, je ne sais rien de toi, ni si tu as un amoureux. Je ne sais pas si je te cause des ennuis, si...

J'insiste du regard. Je délaisse sa main pour écarter une mèche de cheveux qui se balance devant ses yeux.

— Si quoi?

— J'ai peur que tu me prennes en pitié. Mais j'ai besoin de toi.

« J'ai besoin de toi. » Ouf! Je caresse ses cheveux rebelles. Il fait un petit mouvement pour s'éloigner. Je pose mon bras sur le dossier de la causeuse derrière sa tête.

— Depuis que ma sœur est malade, il n'y a qu'elle qui compte aux yeux de mes parents. C'est légitime, je sais, et je ne peux pas en vouloir à ma sœur. Et voilà, tu es là, et j'ai craqué pour la première fois depuis l'annonce de la leucémie de Sandrine. C'est toi qui m'as pris dans tes bras, et c'est fou comme ça m'a soulagé. Mais j'ai peur de ce que tu penses de moi, que je sois faible et...

— Humain...

Je lui ai coupé la parole et j'ai bien fait. En un mot, il a compris que je ne l'ai jamais jugé. Je l'enlace et il se laisse bercer, pleurant tout son saoul. Parfois, il murmure des « J'ai peur » et des « Je n'en peux plus ». Je vais lui chercher des mouchoirs. Il a les yeux bouffis et le nez rouge. Je ne suis pas mieux. Je n'ai rien trouvé d'autre à faire que de pleurer avec lui. C'est ainsi que maman nous trouve quand elle entre. La panique s'empare d'elle. Elle pense qu'il est arrivé quelque chose à Sandrine, même si elle sait très bien que l'hôpital aurait communiqué avec elle.

— Qu'est-ce qui se passe ?

Je souris, honteuse, essuyant mes yeux.

— Un trop-plein de tristesse. On avait envie de crier contre les injustices de la vie.

Attendrie, elle nous observe. Elle s'assoit près de Joey tout en lui massant le dos. Elle tente de l'encourager :

— Faut pas que tu gardes ça pour toi, lui dit-elle doucement. Tu es un garçon formidable, tu sais. Je te vois agir avec ta sœur…

Joey laisse échapper un rire sarcastique qui nous surprend.

— Sandrine a toujours été gentille, sage. Mes parents ont toujours été fiers d'elle. C'est pas comme moi…

Je m'écrie :

— T'es super bon à l'école !

— J'ai doublé mon secondaire deux !

— En maths, ce matin, j'ai vu ta note : 50 sur 50. En français, tu as eu les meilleurs résultats !

— J'ai pas toujours été comme ça.

Son regard est soudainement vide, perdu dans ses souvenirs. Maman lorgne vers moi. Connaîtrons-nous la suite ?

— Tu es trop dur envers toi-même, dis-je en cherchant des mots pour le soutenir. Comment peux-tu avoir recommencé ton secondaire deux ? T'es premier de classe !

Le compliment le touche, mais il se renfrogne aussitôt.

— Au début de la maladie de Sandrine, avant qu'on sache que c'était la leucémie, j'ai fait les quatre cents coups. J'avais treize ou quatorze ans. J'ai consommé de la drogue, j'ai bu, j'ai fugué. Mes parents étaient furieux contre moi. Ils en avaient déjà plein les bras avec ma sœur. Elle se plaignait sans cesse qu'elle avait mal aux jambes, à la tête. Je lui reprochais de vouloir attirer l'attention des parents. Je la traitais de bébé, de petite nature. Quand on a appris qu'elle avait une leucémie, j'avais déjà perdu la confiance de mes parents. Seule Sandrine m'a pardonné, mais il était trop tard. J'avais échoué mon année et, pire, j'avais un casier judiciaire.

Maman me jette un regard, rempli de sous-entendus. Dans le genre : « Le vilain garnement ! » et « J'espère qu'il n'aura pas mauvaise influence sur toi ! » À moins que ce soit : « Tentons de l'aider ! »

— Malgré de meilleures notes, j'ai essayé de me racheter, mais il est trop tard. Mes parents ne m'accordent plus d'attention. Quand ils le font, c'est pour m'engueuler. Lorsque Sandrine partira, ils la pleureront et moi, je croupirai.

— Ça sera l'occasion de leur montrer que tu es en vie, ajoute maman. Pour l'instant, ne tente rien. Ils ont trop de peine et trop d'amertume. Tes tentatives sont réduites à zéro dès le départ. Sois présent quand ils auront besoin de toi.

Elle a trouvé les mots justes.

— La fin de semaine dernière, continue Joey, papa m'a reproché d'avoir les cheveux trop longs. Je n'ai pas eu la chance de lui répondre que c'était parce que je n'avais pas le temps de les faire couper.

J'entoure Joey d'un bras et maman fait la même chose.

— Te rends-tu compte, Joey, que tu as deux femmes pour te consoler ? dit-elle en souriant. Deux femmes juste pour toi !

Il sourit à son tour et nous entoure de ses bras.

— Le comble, c'est que ce sont les deux plus belles femmes du monde qui me consolent.

J'ai rougi, j'en suis certaine. Joey resserre son étreinte avant qu'on se dégage, à la fois émus et embarrassés.

— On sera toujours là pour toi, Joey, dit maman en se levant. Ce que tu fais pour ta sœur n'a pas de prix. Tu es très généreux de ton temps. Un jour, tes parents le reconnaîtront.

Prétextant vouloir prendre un bain, elle quitte le salon.

— Toi aussi, tu as tes problèmes, remarque Joey. Je t'ai entendue lorsque tu parlais au téléphone. Toi et ton père, c'est pas facile ?

Je n'ai pas envie de lui raconter mes malheurs. Ils sont si superficiels comparés aux siens ! D'un côté, nos problèmes se ressemblent : nos pères ne nous voient plus.

— Tu veux rester à coucher ?

— Non, je vais retourner chez moi.

Je le raccompagne à la porte où il enfile ses souliers, son blouson en jean. Il pose sa main sur la poignée puis se ravise. Il se tourne vers moi et m'enlace.

— Merci, Zoé. Merci d'être entrée dans ma vie.

— Tu me parleras demain, à l'école ?

Il plonge son regard dans le mien.

— Y a-t-il un gars dans ta vie ?

J'acquiesce silencieusement et mets mon index sur sa poitrine. Je n'ai pas osé dire de vive voix : « Oui, toi ! » Je suis trop timide pour lui avouer qu'il prend de plus en plus de place dans mon cœur. Joey a un sourire heureux, presque victorieux.

— Bonne nuit, Zoé ! fait-il en se penchant vers moi pour m'embrasser avant de partir.

Je ferme la porte. Je suis troublée autant par son baiser que par ses confidences. Ce trouble m'habite jusqu'à ce que je me couche et que le sommeil me gagne plus tard. Beaucoup plus tard…

Chapitre X

JE ME RÉVEILLE TÔT et ne tente même pas de me rendormir. Je me précipite à l'hôpital. J'ai envie de déjeuner avec Sandrine. J'ai hâte de lui donner mon présent. Quand j'arrive, elle dort d'un sommeil agité. Dans le corridor, on entend de plus en plus de bruit, des pas, des éclats de voix, les roues des chariots qu'on déplace. Sandrine ouvre enfin les yeux, mais ne me voit pas immédiatement, car elle me tourne le dos. Elle ne s'étire pas comme je le fais chaque matin. Elle soupire si profondément qu'on dirait qu'elle est triste de se réveiller et de constater qu'elle est toujours vivante.

— Bonjour Sandrine !

Elle sursaute avant de se tourner vers moi.

— Bonjour ma belle Zoé !

— Tu as bien dormi ?

Elle fait la moue en s'assoyant dans son lit.

— Encore des cauchemars…

– Tiens, je t'ai apporté ce truc. Ça t'aidera sûrement la nuit prochaine.

Je sors le cadeau de mon sac et le lui tends. Elle l'examine attentivement.

– Qu'est-ce que c'est?

– Un « chasse-cauchemars » fabriqué par des Amérindiens. C'est un objet sacré qui a le pouvoir de chasser les mauvais rêves. Dorénavant, tu dormiras tranquille.

Ses yeux se remplissent de larmes et elle me remercie.

– Merci, Zoé. J'en avais besoin.

Pendant que je déjeune avec elle, je m'aperçois qu'elle grelotte. Pourtant, la chaleur de l'hôpital est suffocante. Je lui offre mon chandail. Elle a du mal à l'enfiler parce qu'elle est embarrassée par les fils et le sérum branchés sur elle. Nous rions comme des folles. Après avoir réussi à enfiler le pull, Sandrine me regarde, presque heureuse en m'avouant qu'avec sa mère, ça ne se serait pas passé ainsi.

– Pourquoi?

– Parce qu'elle aurait été ennuyée par mon intraveineuse. Elle aurait soupiré, elle aurait maudit la vie. Elle est toujours impatiente et… je suis contente de te voir. Je suis si loin de mes amies.

– Tu en as plusieurs?

– Oh! oui, Charlotte, Noémie et Jacqueline. Mes meilleures amies.

– Et Yannick?

— Tu te souviens ? fait-elle, ravie.

— Comment puis-je ne pas me souvenir de ton Yannick, ton amoureux depuis la maternelle. Tu m'en as parlé l'autre jour.

Je fais une pause avant de lui demander :

— Tes amis viennent-ils te voir parfois ?

— Je ne les ai pas vus depuis Noël.

Pourquoi ne peuvent-ils pas venir la voir ? Magog n'est pas si loin ! Après l'avoir quittée, j'y réfléchis toute la journée. Pas moyen de m'entretenir avec Joey puisqu'à l'école, il brille par son absence. Qu'est-ce qui peut bien le retenir ? Quand je suis partie de l'hôpital, Sandrine paraissait bien. Il n'a donc pas été appelé d'urgence. Je me rends compte que je n'ai pas le numéro de téléphone de Joey.

Vers midi, mon amie Évelyne me fait la réflexion suivante :

— T'as pas l'air dans ton assiette.

J'écoute le bavardage monotone d'Évelyne sur la mode printanière. J'égraine distraitement la croûte de mon sandwich. Toutes mes pensées s'envolent vers Joey et Sandrine. Je suis à des kilomètres de me soucier de ma garde-robe.

Évelyne me tire de mes réflexions. Je retombe les deux pieds sur terre. Dans la cafétéria de la polyvalente, devrais-je dire.

— Zoé ! T'as entendu ?

— Quoi ?

— Les sandales lacées de Patricia, tu les aimes ?

Vraiment, elle m'ennuie ce midi. Je fais mine de m'intéresser à ses propos, mais je suis la plus hypocrite des hypocrites.

À la fin de la journée, je quitte l'école pour me rendre à l'hôpital. Joey m'attend à l'entrée. Quand je l'aperçois, mon cœur se met à battre très fort. Je crains qu'il m'annonce une mauvaise nouvelle. Mais plus je m'approche, plus je constate qu'il est radieux. Je suis intimidée par son sourire rayonnant. Je parle la première :

– Salut !

Il continue à avoir ce regard rigolard. Je me demande si j'ai une marque de crayon sur le visage ou pire, un truc apparent au nez. Il va se moquer de moi, je le sens.

– Ce que tu es belle !

Tout un compliment ! Surtout de sa part ! Mes peurs s'envolent et je me sens légère ! Si légère ! Je ne peux pas me retenir. Je me hisse sur le bout des pieds pour lui donner un baiser sur la joue.

– Pourquoi n'es-tu pas venu à l'école aujourd'hui ? Je me faisais un sang de stylo.

– Un quoi ? s'écrie-t-il.

– Un…

Comment on dit ? Je ne me souviens plus.

– On dit un sang d'encre.

Je rouspète :

– Un sang de stylo ou un sang d'encre, c'est la même chose !

Il rit en m'entraînant à l'intérieur de l'hôpital.

– Mon réveil n'a pas sonné ce matin. Je suis sorti du lit à onze heures. Je suis venu dîner avec ma sœur et, cet après-midi, j'ai fait du ménage à l'appartement.

– T'aurais pu venir à l'école cet après-midi ?

– Bof ! Tous mes vêtements étaient encore dans des sacs. Je voulais les ranger.

– Ta mère t'a reproché quelque chose hier soir ?

– Comme tous les soirs, rétorque-t-il.

Pendant que nous parlons, nous gravissons les escaliers qui mènent en oncologie. Je rencontre Nicolas dans le corridor. Il me saute au cou :

– Demain ! J'ai congé demain !

Il est follement heureux, et Joey s'attendrit en voyant l'enthousiasme du petit homme.

– C'est ton amoureux ? demande Nicolas.

– C'est le frère de Sandrine, ta voisine de chambre.

– Elle est gentille, Sandrine. Je lui ai parlé aujourd'hui. On a fait des dessins et on a joué au bonhomme pendu.

Il dévisage Joey, puis me demande :

– Vous êtes amis ? Des amis qui se donnent des bizous ? Mélanie a un nouvel ami à qui elle donne des bizous !

Je ne sais pas qui est Mélanie, et la bonne humeur de Nicolas est contagieuse. Je suis heureuse de le voir ainsi. Je le prends dans mes bras et le fais tournoyer. Quand je m'arrête enfin, un peu étourdie, je lui explique, en le serrant dans mes bras :

– Joey est mon ami, Nicolas.

– Moi, avoue l'enfant, je trouve qu'il te ferait un bel ami à qui donner des bizous !

Je lui ébouriffe les cheveux en le déposant et il court aussitôt vers sa mère qui l'attend à la porte de sa chambre. Elle me fait un petit signe de la main, visiblement heureuse pour son fils.

Lorsque j'entre dans la chambre de Sandrine, sa mère est à son chevet. Elle me jette un regard froid. Je ne sais pas pourquoi.

– Qu'est-ce que je t'ai dit au sujet de tes petites amies ? demande-t-elle à son fils.

– Zoé est mon amie, tranche Sandrine à la grande surprise de sa mère. Ce chandail lui appartient.

Madame Ferreira semble surprise, mais cela ne l'empêche pas de m'en vouloir d'être là. Je suis mal à l'aise. Joey et Sandrine n'en mènent pas large non plus.

Nicolas entre en trombe dans la chambre et me saute à nouveau dans les bras.

– Je suis tellement content que tu sois là. Pourquoi tu viens pas jouer avec moi ?

– Nico, tu sais que j'ai beaucoup d'amis sur l'étage et parfois je passe la soirée avec l'un, parfois avec l'autre. Ce soir, je commence par Sandrine. Mais j'irai te voir avant ton dodo, promis !

– Zozo ?

Je lève les yeux vers la mère de Joey. Je suis inquiète. J'ai peur que le babillage de l'enfant ne l'exaspère et qu'elle crie : « Ça suffit ! »

Nicolas m'étreint fortement et me lance à haute voix :

— Après maman, papa et mon frère Grégory, c'est ta visite qui me fait le plus plaisir. C'est toujours drôle avec toi, même quand j'ai mal.

Il me serre très fort et je jette un coup d'œil vers Joey, intimidée que tout ça se passe devant des spectateurs.

— Nicolas ? lance Sandrine qui attire l'attention du petit garçon.

— Oui, dit-il en se dégageant de moi.

— Pourquoi ne viendrais-tu pas me border, ce soir ?

Nicolas bombe le torse.

— Avec plaisir, mon amie Sandrine !

Il a un air espiègle et lance un « Bip ! Bip ! » avant de s'enfuir en courant.

Ce petit intermède a apporté une véritable bouffée d'air frais.

— Je vais aller voir Margot. Je reviendrai, lui dis-je, en me penchant vers Sandrine pour lui faire la bise.

Elle semble curieuse.

— Qui est Margot ?

— La petite du 522. Celle qui a les cheveux blonds frisés. Elle ressemble à un ange.

— Je vois ! Nous avons joué avec ses toutous aujourd'hui, m'apprend Sandrine. Maman m'a amené à la salle de jeu et Margot était là. Elle est très mignonne, en effet.

Pendant mon absence, Sandrine explique à sa mère que je passe un peu de temps avec les enfants jusqu'à ce que ma mère finisse de travailler afin de retourner avec elle à la maison.

— Qui est sa mère ? s'enquiert madame Ferreira.

— Docteure Jaworski.

La mère de Sandrine n'a que des éloges pour la mienne. Cela achève de la convaincre du bien-fondé de ma présence ici. Joey me relate cet épisode alors que nous nous croisons dans le corridor. Cette bonne nouvelle m'enchante.

Plus tard, beaucoup plus tard, après que Nicolas eût été bordé Sandrine, je marche lentement vers chez moi, tenant la main de Joey. Il fait beau et presque trop chaud pour un mois d'avril. Rue Beaubien, on se croit ailleurs en entendant les moineaux se chamailler.

— En avril, ne te découvre pas d'un fil, dis-je en trouvant cette croyance idiote puisqu'il doit faire presque dix-huit degrés.

— Bravo ! s'écrie Joey.

— Quoi ?

— T'as pu citer un proverbe sans te tromper.

Il m'a piquée dans ma fierté.

— Tu sauras, Joey Feremachinchose, que je connais très bien mes proverbes et que, quand je m'y mets, je n'y vais pas avec le dos de la main morte.

Joey s'esclaffe et retire sa main de la mienne.

— On dit « de main morte » ! Tu es drôle, toi !

Il m'attire à lui et son baiser me fait fondre instantanément. Il sourit en me regardant tendrement.

— Je t'aime, Zoé.

Pendant un instant, je pense que le temps s'est arrêté.

— Ta sœur a raison.

— Quoi ?

— On ne devrait pas sortir ensemble.

— Pourquoi ? fait-il, d'un ton offensé.

— Zoé *love* Joey… Ça fait cucul !

Il pouffe et, joyeusement, il m'entraîne dans sa marche.

— Le « chasse-cauchemars », c'était une très bonne idée. Je te remercie sincèrement.

Reconnaissante, je serre sa main.

— Elle avait très hâte de dormir pour voir si ça fonctionne. Maman t'en voulait d'avoir eu l'idée à sa place.

Elle n'a pas l'air facile à plaire, cette dame. J'espère que je saurai gagner son respect un jour.

Nous arrivons chez moi, et Joey accepte d'entrer pour saluer ma mère, l'autre plus belle femme du monde (il est charmant, quand il s'y met !). Je lui souhaite ensuite une dernière fois le bonsoir. Je suis triste de devoir déjà le quitter. Après avoir regardé Joey s'éloigner, maman se fait curieuse :

– Alors, ce Joey ?

En me rendant à la cuisine, je lui avoue :

– Je l'aime beaucoup.

Je me verse un verre de lait et y ajoute une bonne portion de chocolat en poudre.

– Tu l'aimes beaucoup ? Dans le sens de… ?

– Baisers mouillés mais tout à fait agréables.

Je remue ma cuillère dans mon verre et zieute maman. Elle est figée.

– Tu veux un rendez-vous avec Caroline ?

Caroline est une amie de ma mère. En fait, c'est une collègue de ma mère. Gynécologue…

– Pourquoi ?

Je suis presque insultée.

– Quand j'ai commencé à fréquenter ton père, je n'ai pas pensé que je me retrouverais dans son lit aussi vite et sans précautions…

– Maman !

– Zoé !

– Je ne prendrai pas la pilule anti-bébé seulement parce que j'ai embrassé un gars !

– T'as seize ans !

– Pis !

– Dix-sept le mois prochain.

– Pis !

Le ton de nos voix a monté considérablement.

– Tu veux devenir enceinte comme ça m'est arrivé !

— J'ai juste embrassé Joey ! Arrête de t'en faire !

Elle soutient mon regard et pince les lèvres avant de gagner sa chambre. Ça m'étonne. Ce n'est pas dans les habitudes de ma mère d'abandonner une discussion.

J'ai vu juste. Elle revient deux minutes plus tard avec des munitions en main.

— Tiens, je veux que tu en mettes dans ton sac à main. Promets-moi surtout de t'en servir si l'occasion se présente.

Des condoms ! Depuis quand a-t-elle des condoms dans sa chambre ? J'en oublie notre différend. L'envie de la taquiner me prend. Quand elle s'en aperçoit, elle se sent prise au piège. Il n'y a plus d'éclat de voix, plus d'agressivité. Restent deux femmes assises ensemble, partageant un énorme sundae aux fruits qu'elles ont préparé tout en se confiant l'une à l'autre.

J'ignorais que maman avait un copain. Ils se voient quand je vais chez papa. Quand elle me dit qu'elle dort chez Diane, c'est chez lui qu'elle va. L'autre soir, ce n'était pas avec sa grande amie qu'elle est allée souper, mais avec lui.

— Pourquoi m'avoir tout caché ?

— Ce n'était pas sérieux au début. Maintenant, on se voit de plus en plus souvent.

— Où l'as-tu rencontré ?

— Chez Diane, la veille du jour de l'An.

J'étais chez papa.

– Que fait-il dans la vie ?

– Il est comédien.

Comédien ? Quand elle me dit son nom, je suis surprise. C'est l'un des plus beaux phénomènes de la scène montréalaise. Je l'ai vu dans un film et aussi dans ma série préférée.

– Tu peux garder le secret ? me demande-t-elle.

– Bien sûr !

Maman sait qu'elle peut me faire confiance. Elle est bien plus que ma mère. Elle est aussi ma meilleure amie. Avant de me coucher, je lui fais une longue accolade.

Chapitre XI

LE LENDEMAIN, Évelyne m'attend près de notre casier, les bras croisés, avec un drôle d'air. Elle m'attaque aussitôt.

— Je t'ai vue !

Je hausse les sourcils et je cherche dans quel endroit sordide elle a pu me voir pour qu'elle m'agresse ainsi.

— Hier soir. Tu marchais avec le nouveau sur Beaubien et vous vous teniez par la main. Tu sors avec lui ?

— Ouais, dis-je en prenant mes livres pour mon cours de chimie.

Elle éclate :

— Zoé ! Tu sors avec un gars et tu ne m'en as pas parlé ! Vous vous cachez ou quoi ?

— Non. Tu sais que je ne suis pas du genre à me pendre au cou d'un gars quand je suis à l'école.

— Mais que tu ne m'en parles pas ! s'indigne Évelyne. Pourquoi ?

– Parce qu'il n'y a rien à dire. C'est tout nouveau.

Je ne vais pas lui raconter que je l'ai invité à dormir avec moi. Tiens, j'y pense ! Maman a bien raison de m'obliger à garder des condoms avec moi.

– Comment vous êtes-vous rencontrés ?

– On prend le même autobus. Il demeure à deux rues de chez moi. En français, on fait un travail d'équipe ensemble.

Évelyne, qui m'accompagne jusqu'à la classe de chimie, ne peut cacher sa curiosité.

– Tu disais que tu le trouvais pouilleux !

Insultée, je réplique :

– C'est toi qui l'as dit !

– N'empêche qu'il a l'air…

Elle laisse sa phrase en suspens. Joey est au bout du couloir, attendant qu'on ouvre la porte du local de chimie. Évelyne, prise au piège, doit passer devant lui, et j'en profite pour les présenter l'un à l'autre.

– Salut ! dis-je à Joey.

Je me sens un peu gênée. J'ai peur qu'il reprenne son air froid et distant. Pourtant, il a l'air heureux de me voir. D'ailleurs, il n'a d'yeux que pour moi, je le vois bien.

– Je te présente ma meilleure amie, Évelyne. Évelyne, c'est Joey.

Évelyne, mal à l'aise comme je ne l'ai jamais vue, bafouille un : « Je suis contente de faire ta connaissance… » Quand elle est partie, j'explique à Joey qu'elle nous a vus marcher ensemble la veille et que, ce matin, elle a exigé des explications. Il s'étonne :

— Tu ne lui avais pas parlé de moi avant ?

— Non.

— Si elle ne nous avait pas vus, tu lui aurais dit ?

— Oui, bien sûr. Il aurait fallu que je lui explique, quand tu aurais décidé de me parler à l'école, quel genre d'amitié on vit.

L'amusement se peint sur son visage.

— Toi, t'es pas comme les autres filles.

— Elles sont comment les autres filles ?

— Elles jacassent entre elles et elles se racontent des histoires qu'elles sont les seules à croire.

— Vous semblez un homme d'expérience, monsieur Joey Ferrequelquechose.

Il éclate de rire. Il porte sa main à ma taille et m'attire brièvement contre lui.

— Si tu sors avec moi, faudra que tu apprennes à prononcer correctement mon nom de famille.

— Et c'est… ?

— Ferreira.

— Italien ?

— Non, Portugais. Mon père est né ici. Mes grands-parents sont nés au Portugal. Ils ont immigré il y a une cinquantaine d'années.

— Ta mère est québécoise ?

Sa mère est sûrement québécoise : elle n'a aucun accent. Mais ça ne veut rien dire.

— Une Tremblay. Du Lac Saint-Jean.

En effet, il n'y a pas plus Québécoise.

À l'heure du dîner, je rejoins Évelyne. Elle meurt d'envie de tout savoir sur Joey.

— Tu peux bien en être tombée amoureuse ! Il a les plus beaux yeux du monde ! Et quand il m'a serré la main…

Étonnée, et à la fois curieuse, je l'encourage à poursuivre.

— Sa main est forte et n'est pas molle comme celle de Rémi.

Parlons-en de Rémi Laporte-Sauvé ! En sortant du cours de chimie, il nous a suivis, Joey et moi. Deux de ses amis étaient avec lui.

— Aïe ! Jaworski ! T'as perdu ton chandail noir ou quoi ? En tout cas, c'est d'valeur, parce qu'il s'agençait bien avec tes points noirs dans'face !

— C'est pas vrai ! J'ai pas de points noirs !

J'étais insultée et j'ai aussitôt rougi. Furieux, Joey s'est tourné vers lui.

— Si tu te moques une autre fois d'elle, c'est à moi que tu auras affaire, minable !

J'ai eu envie d'applaudir tant j'étais fière de Joey.

— T'es pas capable de te défendre toute seule, Jaworski ? a répliqué Rémi, pas du tout impressionné par Joey.

Puisqu'il m'a traitée de poule mouillée, je me suis permise d'ergoter :

— Tu sauras, Rémi Laporte-Sauvé, que je peux très bien me défendre toute seule. Je voulais que tu te rendes compte que je ne suis pas la seule à trouver que t'es juste un p'tit con pis un p'tit baveux.

Joey a bousculé Rémi. Derrière nous, j'entendais Jade et Victor qui renchérissaient : « C'est vrai qu'il est con ! » D'autant plus que les deux acolytes de Rémi se sont retournés pour rigoler en le voyant perdre la face.

Plus tard, j'ai remercié Joey :

— Merci d'avoir pris ma défense. J'apprécie beaucoup.

— Les petits morveux comme lui méritent d'être remis à leur place.

Joey avait l'air si sérieux. Sa réaction m'a même fait peur. J'ai l'impression que si Rémi avait insisté, Joey n'aurait pas hésité à le remettre physiquement à sa place. Joey ne tolère pas qu'on lui manque de respect. Ce n'est pas sa susceptibilité qui l'a mis dans cet état, c'est autre chose. Je n'arrive pas à cerner ce qui l'a tant agressé. J'aimerais qu'il se confie plus à moi. Je n'ai pas posé de question. Il s'est dirigé vers le gymnase pour son cours d'éducation physique.

Donc, pendant l'heure du dîner, mon amie Évelyne ne cesse de s'extasier sur les yeux, les mains, la carrure de mon nouvel amoureux.

— Comment se fait-il qu'il ne soit pas avec toi ce midi ?

— Je crois qu'il est à la bibliothèque.

Joey profite de l'heure du midi pour étudier et faire ses devoirs. Ainsi, le soir, peut-il se consacrer à sa sœur.

— Et studieux en plus ?
— Il travaille le soir.

Je me sens un peu coupable de mentir à Évelyne. C'est la première fois en sept ans d'amitié. Je lui expliquerai tout une prochaine fois.

Chapitre XII

À SEIZE HEURES, en me rendant à l'hôpital, une idée germe en moi. Je n'en parle pas immédiatement à Joey parce que j'ai besoin d'y réfléchir. Ce n'est qu'au retour, après avoir vu Sandrine, si faible, dépérissant à vue d'œil, que je décide d'exposer mon projet à Joey. Mais avant, je le questionne :

— Les amis de Sandrine viennent-ils la voir à l'occasion ?

— La dernière fois, c'était dans le temps des Fêtes. Certains devaient venir pendant la semaine de relâche, mais il est arrivé quelque chose, je ne sais pas trop quoi. Personne n'a pu faire le voyage. Je sais que Sandrine reçoit souvent des lettres et il y a eu un vidéo réalisé par sa classe.

— Si on allait les chercher samedi pour les amener ici ?

— Qui ? Toute la classe ? s'écrie-t-il, apeuré par l'ampleur de mon projet.

– Non, ses meilleures amies : Noémie, Charlotte et Jacqueline. Sans oublier Yannick.

Joey me dévisage, surpris de constater que je connais les amis de sa sœur.

– Sandrine s'est confiée à toi bien plus que je ne le pensais !

Il est d'accord avec mon projet. Il désire en parler avec sa mère. En descendant de l'autobus, je lui annonce :

– Je t'accompagne.

Il hésite puis conclut que je réussirai peut-être mieux que lui à convaincre sa mère.

Arrivés chez lui, nous sommes accueillis par le bruit de la télévision. La mère de Joey est au salon. Sans même prendre le temps de le saluer, elle demande sans tourner la tête :

– Comment était-elle quand tu l'as quittée ?

– Maman, Zoé a eu une idée dont nous voudrions te parler, dit-il sans répondre à sa question.

Elle sursaute et se redresse en constatant ma présence. Elle semble embarrassée d'être surprise en robe de chambre. Je fais part de mon idée en y mettant toute mon énergie positive. Joey intervient en proposant :

– J'ai pensé qu'ils pourraient venir avec papa, vendredi soir.

J'enchaîne aussitôt :

– Et samedi, en fin de journée, je peux demander à mon père de les reconduire.

Madame Ferreira n'a pas l'air enchantée. Je tente de la convaincre, même si elle dit que Sandrine n'est pas une attraction publique.

— Je ne connais pas Sandrine depuis très longtemps, mais assez pour avoir entendu parler de Yannick, Noémie, Charlotte et Jacqueline. Si Noémie persiste à faire ses vocalises tous les jours, elle sera chanteuse. Charlotte joue de la flûte traversière d'une façon incroyable et son rêve est d'être reçue au Conservatoire de musique de Montréal. Jacqueline aime les animaux et veut devenir vétérinaire. Sandrine est certaine qu'elle y arrivera. Et Yannick gratte la guitare de façon lamentable, mais croit dur comme l'acier que…

— Comme fer…

— Quoi ?

— On dit croire dur comme fer.

Joey m'a presque fait perdre mon idée. Je lui en veux de m'avoir coupé la parole. Surtout qu'il affiche son sourire moqueur.

— Yannick se croit très bon, dis-je en foudroyant Joey du regard, et Sandrine aime le taquiner quand il se prend pour un grand guitariste. Yannick est aussi un excellent joueur de hockey.

Lovée dans son fauteuil, madame Ferreira ne me regarde pas. Je poursuis :

— Sandrine me parle constamment de ses amis. Je crois qu'elle a très envie de les revoir.

Madame Ferreira reste silencieuse. Elle croise les bras sur sa robe de chambre. Je jette un regard résigné à Joey. Notre cause est perdue.

– Je pense que ça lui fera très plaisir, en effet, admet-elle.

Je souris, heureuse, et des larmes de joie viennent inonder mes yeux.

– Merci ! réussis-je à articuler. Elle sera si contente de les revoir.

Joey remercie également sa mère. Son bonheur transparaît dans son regard.

– Ils coucheront où, ces beaux moineaux ? s'informe madame Ferreira.

On dirait qu'elle va changer d'idée en s'imaginant que tous les amis de Sandrine envahiront son appartement. Je m'empresse de préciser :

– Vous savez, on peut tous dormir chez moi, ça vous permettrait de vous reposer. On s'arrangera pour faire du camping dans le salon chez ma mère.

Elle semble apprécier cette solution. Restera à convaincre maman.

Une certaine frénésie s'empare de Joey et de moi. Nous espérons que tous les amis de Sandrine pourront se libérer. Joey en doute, puisque Yannick a souvent des parties de hockey la fin de semaine. Il décide de lui téléphoner en premier. Le pauvre garçon panique quand il entend la voix de Joey. Il croit qu'il l'appelle pour lui annoncer une mauvaise nouvelle. Mais Joey l'apaise aussitôt en lui expliquant notre projet.

— Elle dépérit de jour en jour, Yan et je crois que tu devrais venir la voir une dernière fois.

La voix de Joey se fait tremblante.

— T'inquiète pas, Joey, dit Yannick, je serai là même si je dois rater une partie. Compte sur moi pour convaincre les copines de se rendre à Montréal. Je te rappelle ce soir pour te donner des nouvelles.

Installés au salon en compagnie de madame Ferreira, nous attendons que Yannick nous téléphone. Nous regardons la télé sans vraiment la voir, trop troublés par nos pensées. Sans m'en rendre compte, Joey m'a entourée de son bras, et j'ai appuyé mon dos contre lui pour mieux voir l'écran. Madame Ferreira se lève et vient vers nous. Elle pose une main sur la joue de son fils et l'autre sur la mienne.

— Vous êtes beaux tous les deux. Il me semblait bien que Zoé n'était pas qu'une bénévole. Une bonne fois, vous me raconterez votre histoire.

Elle se penche vers Joey et lui donne un baiser.

— C'est bien, ce que tu prépares pour ta sœur, lui dit-elle. Merci.

Après nous avoir souhaité une bonne nuit, elle se retire dans sa chambre. Une fois seuls, Joey me serre très fort contre lui. Je sais qu'il sanglote, soulagé d'être enfin apprécié par sa mère. Il est surtout touché par l'affection qu'elle vient de lui démontrer.

Chapitre XIII

JE DEMANDE à Évelyne de me prêter quelques sacs de couchage. Je peux compter sur mon amie puisque sa famille est une adepte du camping. Cependant, il a bien fallu que je me confie à elle. Je lui raconte que plusieurs personnes viendront dormir chez moi et que j'ai besoin de matériel. Elle insiste et tente d'en savoir plus, sauf que je me dérobe. Je n'ai pas envie de tromper la confiance de Joey.

— Tu ne fais pas partie d'une secte tout de même ?

— Mais non ! Écoute, il s'agit d'une surprise-partie pour la sœur de Joey. Comme ses amis habitent Magog, ils viennent tous coucher chez moi et la surprise aura lieu samedi.

Évelyne ne me croit pas. Perplexe, elle demande :

— Ben, alors ? Pourquoi tu voulais pas me le dire ?

– Parce que je t'exclus un peu et je sais que tu n'apprécies pas beaucoup.

Je me sens embarrassée.

– De toute façon, j'ai quelque chose samedi toute la journée…

Évelyne laisse sa phrase en suspens afin de m'intriguer. Soudain, je comprends ce qu'elle laisse sous-entendre : elle a un nouvel amoureux ! Envahie par une joie soudaine, je lui demande :

– Comment s'appelle-t-il ?

– Marcel.

– Marcel !

Elle ne sort sûrement pas avec lui à cause de son prénom.

– Marcel Prud'homme, propriétaire de la quincaillerie Prud'homme.

Mon Dieu ! Évelyne sort avec un homme d'âge mûr !

– Évelyne !

Elle éclate de rire, ce qui me scandalise encore plus.

– Je me suis trouvée un boulot de caissière.

Je ne saisis pas. Elle a un méga fou rire et moi, je me tiens comme une cruche qui s'est bien fait prendre.

Les deux jours suivants passent à une vitesse fulgurante. Le vendredi se pointe enfin. Les amis de Sandrine seront bientôt là. Habituellement, le vendredi, madame Ferreira reste à l'hôpital pour attendre son mari et elle repart avec lui dans la soirée. Joey, comme toujours, se rend à l'hôpital après l'école. En respectant la routine, Sandrine n'y verra que du feu et ne remarquera pas mon absence. C'est moi qui dois accueillir ses amis à l'appartement de Joey.

Dix-huit heures trente. Ils arrivent enfin ! Je rencontre le père de Joey pour la première fois. Avec cette bande d'adolescents, il est tout enjoué et ne cesse de blaguer. Il se dit soulagé de me confier leur garde et de ne plus être le chaperon de cette bande d'hyperactifs. Je remarque tout de même son regard triste de ne pas voir sa fille avec eux.

J'emmène les amis de Sandrine chez moi. Emportée dans leur joie de vivre, je rigole avec eux. Yannick est tel que je l'imaginais. Quel bel homme il sera ! Charlotte a apporté sa flûte et Yannick espère ne pas trop fausser en jouant de la guitare. Ils ont des projets pour un mois. Quand ils sont assis en cercle chez moi, je remarque un peu d'incertitude dans leur regard. Noémie est la première à oser m'interroger.

— Comment va-t-elle depuis Noël ?

— Je ne sais pas.

Ils me regardent, à la fois inquiets et sceptiques.

— Je connais Sandrine depuis trois semaines. Je ne sais pas comment elle était à Noël. Je sais seulement qu'elle me parle de vous depuis que j'ai fait sa connaissance. Elle vous aime beaucoup.

— Elle va donc mieux ? risque Jacqueline.

J'aimerais tant la rassurer.

– Elle sera très heureuse de te revoir, dis-je simplement. Faut seulement que tu sois très forte.

Ce qui veut dire : « Ce sera probablement la dernière fois que vous vous verrez. » Mais je ne le dis pas.

– Comment tu l'as connue ? me questionne Noémie.

– Joey est dans ma classe et nous sommes amis.

– Il n'est pas très commode, Joey, pense Jacqueline à haute voix. Moi, je l'ai toujours trouvé très froid.

– C'est parce que tu le connais mal, répond Yannick. C'est un gars super *cool*. Il aime tellement sa sœur !

– Moi, quand j'étais petite, déclare Charlotte, je rêvais que Joey était amoureux de moi. En grandissant, je suis devenue curieuse de savoir qui mettrait le grappin sur lui.

Ça me fait un velours.

– Quand Joey aura une copine, les poules auront des dents, ironise Noémie.

Surprise, je demande :

– Pourquoi ?

– Il n'a confiance en personne, explique Yannick.

– Je me souviens quand il se tenait avec la bande de Vincent St-Laurent, confie Noémie. J'avais tellement peur d'eux. Des voyous de la pire espèce !

— Vincent St-Laurent le mettait constamment au défi. Joey était naïf et se laissait influencer. Je crois que c'était parce qu'il se sentait important et tentait de gagner le respect des autres. Pour sauver sa peau, Vincent l'a dénoncé lorsqu'il s'est fait prendre à l'école et c'est Joey qui s'est fait pincer. D'un côté, c'est bien puisqu'il s'est repris en main.

— C'est vrai qu'il a eu un écart de conduite mais… fait Jacqueline.

Charlotte lui coupe la parole :

— Un écart de conduite ? s'écrie-t-elle. Se faire prendre avec de la drogue ? Même qu'il en revendait !

— Il était jeune et innocent, s'emporte Yannick, qui prend la défense de Joey. La bande de Vincent St-Laurent n'a pas arrêté de se moquer de lui par la suite. Ils l'ont ridiculisé et ils le provoquaient sans cesse. Il s'est fait une carapace et plus personne n'a pu l'approcher.

Il s'arrête quelques secondes afin de maîtriser ses émotions.

— Joey est en rogne contre l'univers entier et sa sœur s'est lancé le défi de le secourir avant de partir. Ses parents sont toujours sur le dos de Joey. Peu importe ce qu'il fait. C'est pour cette raison qu'il est toujours sur la défensive. Il ne veut plus voir personne entrer dans sa vie. Ses deux parents et sa sœur malade lui suffisent.

Sous le coup de l'émotion, je m'entends prononcer ces paroles :

– S'il en a assez de Sandrine, pourquoi est-il venu s'établir à Montréal pour être près d'elle?

– Ce que je veux dire, explique Yannick, c'est qu'il ne veut plus s'attacher à personne. C'est pour ça qu'il est froid comme ça. Je crois que la vie l'a déçu.

– Il est sorti avec Tania, l'année dernière, commente Noémie.

– Tania n'a pas supporté son air bête. D'ailleurs, il s'esquivait toujours et voulait rarement la voir. Je pense qu'il avait peur de craquer. Le jour où il se confiera, c'est qu'il en aura trop sur le cœur. Et seulement à une personne en qui il aura une confiance absolue. Il a tellement peur d'être déçu de nouveau.

Ces propos me laissent songeuse. La conversation a dévié complètement. Noémie s'esclaffe, me tirant ainsi de mes réflexions. J'essaie de me concentrer sur leurs propos rigolos, mais mon cœur n'y est pas. Prétextant vouloir préparer une collation, je vais à la cuisine afin de m'isoler un instant.

Joey arrive au moment où j'achève de servir une pointe de tarte à mes invités. Ils sont heureux de le revoir, surtout Yannick.

Plus tard, alors que nous sommes tous affalés dans le salon, ils me racontent les quatre cents coups de Sandrine, ce qui me fait sourire plus d'une fois. Quelle espiègle! Je les écoute, blottie contre mon Joey, heureuse de les voir là.

– C'est toi qui as réussi cette réunion, me susurre-t-il à l'oreille.

Je suis heureuse. Immensément heureuse. J'ai hâte à demain. Mais du même coup, je suis anxieuse. Avant que je donne le signal pour le dodo, Charlotte lance :

– Je suis presque jalouse, Joey Ferreira !

Il sursaute, aussitôt sur la défensive.

– Quoi ?

– Au fond, s'empresse-t-elle d'ajouter, je suis bien heureuse que ta blonde soit Zoé. Vous êtes tellement beaux tous les deux !

La mère de Joey a dit la même chose. Si on continue, la tête m'enflera. Je n'ai pas pu leur cacher très longtemps que je sortais avec Joey. Je ne me sens pas très fière de les avoir cuisinés afin d'en savoir plus sur lui. Cela m'a au moins permis de comprendre qu'il a peur. Il a peur de partager sa peine parce qu'il est trop fier et parce que des gens l'ont trompé après qu'il leur eût fait confiance : ses parents, sa sœur qui va mourir et ses amis qui l'ont dénoncé comme revendeur. Ils lui ont permis de revenir dans le droit chemin. Je ne trahirai jamais sa confiance. L'autre jour, il a eu raison d'être en rogne contre Rémi Laporte-Sauvé. Il ne tolère plus aucun manque de respect.

Il est tard. Je m'en rends compte quand je vois Noémie bâiller aux oiseaux. À moins que ce soit « bayer aux corneilles » ? Joey a bien raison de rire de moi. Et puis, il n'a pas l'air bête quand j'énonce de telles idioties.

Je leur demande comment ils désirent partager les lits :

– On dort tous ensemble, par terre au salon, réplique Yannick.

J'aide les amis de Sandrine à s'installer et, mine de rien, j'offre à Joey de dormir avec moi. Quand il accepte, je cherche mon sac à main partout comme une débile. Les condoms y sont toujours. Je m'en fais pour rien. On dort l'un contre l'autre simplement. De plus, il roupille aussitôt qu'il pose la tête sur l'oreiller. Enfin… presque. Le goujat !

Au petit matin, j'entends les amis de Sandrine chuchoter au salon. Je jette un coup d'œil sur Joey. Il bat des cils et ouvre ses paupières. Je me demande soudain si je me suis bien démaquillée hier soir et si je n'ai pas un cerne de mascara. Pire, peut-être ai-je une haleine épouvantable ?

– Ce que tu es belle le matin ! murmure Joey.

C'est fou comme il me rassure ! Du même coup, je sens qu'il n'y en a pas une de plus belle que moi. J'entends un fou rire au salon. Des bruits me proviennent de la chambre de maman. Elle se lève. Mes yeux sont toujours rivés sur ceux de Joey. J'ai une folle envie de l'embrasser.

Toc ! toc ! toc !

– Zoé ? fait ma mère derrière la porte.

Joey feint instantanément de dormir. Je me retiens de rire et murmure :

– Oui ?

Maman entrouvre la porte et dit :

– Tes copains sont réveillés. Tu… Oh !

Elle reste bouche bée en voyant Joey dans mon lit. Elle ne bouge plus, elle ne respire plus. Je la rejoins en deux temps, trois mouvements. Elle me dévisage alors que je passe devant elle. Je vais au salon sans lui laisser le temps d'une réplique.

C'est pendant le déjeuner que j'annonce aux amis que ma mère est la pédiatre de Sandrine. Ils sont très surpris. C'est un détail que j'ai omis de leur révéler.

– Vous avez plus l'air de deux sœurs que d'une pédiatre et sa fille.

– N'ayez crainte, elle est très mère poule quand elle s'y met.

Maman me lance un de ses regards rempli de sous-entendus. Justement, quelques minutes plus tard, alors que nous sommes seules l'une et l'autre dans la cuisine à remplir le lave-vaisselle, elle me demande ce que faisait Joey dans mon lit. Je lui dis l'entière vérité, y compris ma course folle pour retrouver mon sac à main qui ne m'a été d'aucune utilité. C'est vrai qu'on a l'air de deux sœurs, elle et moi.

À treize heures, nous nous trouvons tous auprès de Sandrine. Noémie, Charlotte et Jacqueline, bouleversées de la voir si mal en point, font la bise à leur amie. Quand Yannick s'approche d'elle, d'un pas assuré, cachant bien son désarroi, des larmes envahissent mes yeux. Il la prend dans ses bras et murmure des mots qu'elle seule entend. Il la berce long-temps. L'instant d'émotion passé, un air de fête s'installe dans la chambre. Sandrine demande de leurs nouvelles, complimente Noémie pour sa nouvelle coupe de cheveux, fait des blagues concernant les siens qu'elle n'a plus. Enfin, Charlotte joue un air sur sa flûte et Yannick tente d'épater Sandrine en grattant sa guitare. Il chante faux, mais c'est tellement de bon cœur que personne n'ose se moquer de lui.

Finalement, maman réussit un coup de maître. Sandrine est installée dans une chaise roulante et transportée par une aide médicale vers le Mont Royal. Ses parents retiennent leurs sanglots de la voir si heureuse d'offrir son visage aux doux rayons du soleil de printemps.

Au retour, Sandrine est fatiguée de sa journée, mais aussi comblée. Quand vient l'heure de se séparer de ses amis, le moment est émouvant. Je préfère ne pas y assister et profite de ces minutes pour rendre visite aux petits enfants de l'étage. Une nouvelle patiente a remplacé Nicolas dans la chambre 539. Ce qui me rappelle que mon protégé est rentré chez lui et doit être heureux d'être enfin parmi les siens.

Papa a accepté de reconduire les amis de Sandrine. Je lui ai suggéré qu'au retour, nous en profiterions pour converser ensemble. Je ne lui ai pas tout raconté, seulement que je devais raccompagner des amis à Magog, mais je lui ai promis des explications.

En route vers Magog, les amis de Sandrine sont plutôt silencieux. Ils évoquent certes quelques-uns des événements de la journée, mais réfléchissent sur la fragilité de la vie. Rendus à destination, nous nous donnons chacun une longue accolade, versons quelques larmes.

— Téléphone-moi, supplie Noémie en m'étreignant.

— Je regrette de ne pas être venu avant, fait Yannick, triste.

— Je vous tiens au courant, leur dis-je dans une dernière bise.

Je rejoins papa resté dans la voiture. Je sens une vague de tristesse m'envahir.

— Explique-moi, exige-t-il.

Alors, je commence par le début. Je lui parle de Nicolas, de Margot et de mon bénévolat, mais surtout de mon attachement pour les Ferreira.

— Tu tiens de ta mère. J'ai seulement un conseil à te donner : sois bonne pour toi ! Autrement dit, ne t'oublie pas.

On passe plus d'une heure à se parler, à se confier. Je n'ai même pas conscience du voyage sur l'autoroute, ni ne vois le soleil qui décline tant nous discutons. Il vient souper à l'appartement pour la première fois depuis des années. Il est resté en bons termes avec ma mère et cette dernière accepte de se joindre à nous. Ça me fait drôle de nous voir réunis tous les trois. Je profite du moment dont j'apprécie chaque minute. Il raconte sa vie, son travail et ses activités, évitant de s'attarder sur Sylvie et les enfants. Il m'écoute et s'intéresse à maman. Nous en sommes au dessert quand on frappe à la porte. C'est Joey.

– Alors ? fis-je aussitôt, pressée d'avoir des nouvelles de Sandrine.

– Elle s'est endormie après souper. Elle était lasse, mais tellement heureuse. Ça été une très belle journée.

Je lui prends la main et l'entraîne à la cuisine pour le présenter à mon père, à qui je précise qu'il est le frère de Sandrine.

– Me semblait qu'il y avait un amoureux dans ton histoire !

Papa avoue que ça lui donne quand même un choc de me voir amoureuse. Je ne suis plus une fillette. J'ai ma vie et il s'en rend compte pour la première fois. Avant de partir, mon père me promet que nous aurons de nouvelles rencontres, dans un avenir prochain. Et seulement lui et moi.

Chapitre XIV

Deux semaines plus tard, Yannick me téléphone pour prendre des nouvelles de Sandrine. Je lui avoue mon inquiétude. Puisqu'il n'a pas de partie de hockey le lendemain, samedi, il me promet de venir à Montréal avec sa mère.

Comme prévu, il arrive un peu après le dîner. Je l'attends dans le corridor près de la chambre de Sandrine.

— Ce que tu as l'air fatiguée, Zoé !

Je glisse mon bras sous le sien, l'obligeant à faire quelques pas avec moi avant d'entrer dans la chambre de son amie.

— Depuis hier soir elle a des saignements de nez abondants. Son état s'est aggravé subitement. Elle a perdu connaissance. On a téléphoné à ma mère vers trois heures cette nuit et nous sommes accourues toutes les deux à son chevet. Elle souffre d'une hémorragie intracrânienne. On lui a fait une transfusion de plaquettes, mais il était déjà trop tard. Le neurologue a confirmé qu'elle avait subi de graves traumatismes.

Yannick serre mon bras de plus en plus fort.

— Elle est… ?

— Non, elle n'est pas morte, mais…

J'inspire profondément avant d'enchaîner.

— Le prêtre est venu. Elle a reçu le sacrement des malades. Sandrine se meurt, Yannick.

Les larmes coulent librement sur ses joues et je l'entoure de mes bras. Quand il se sent prêt, je l'emmène près de son amie plongée dans un profond coma. Seule sa respiration lente nous prouve qu'elle est toujours vivante.

Yannick se fige devant l'affreux spectacle. Je ne veux pas le pousser vers Sandrine. Il réagit seulement quand Joey s'approche de lui. Il avance enfin pour s'asseoir à côté de son amie. Il lui caresse le visage et, ignorant la présence des autres, il lui parle sans gêne et sans retenue. Il lui révèle la chance qu'il a eue de la connaître, d'avoir été son confident et son amoureux. Il lui avoue ses remords d'avoir été si peu là depuis Noël. Il maudit la tempête de neige qui l'a empêché de venir la voir le jour de la Saint-Valentin. Il se demande enfin pourquoi il a passé la semaine de relâche à un camp de hockey au lieu de venir la visiter.

— Je te retrouverai dans une autre vie, Sandrine. Je te jure que nous réaliserons nos rêves ensemble.

Il reste longtemps assis près d'elle, lui tenant la main. Vers seize heures, la mère de Yannick fait irruption. Elle était partie faire des achats au centre-ville et n'est pas au courant de l'agonie de Sandrine. Elle entre dans la chambre avec des fleurs et son sourire s'efface aussitôt. Madame Ferreira se jette dans les bras de la mère de Yannick en pleurant.

— Viens, dit cette dernière, entraînant madame Ferreira hors de la chambre de Sandrine, je ne crois pas qu'elle veuille te voir pleurer. Pense à la délivrance qui…

Les deux mères sortent de la chambre. Je regarde le chasse-cauchemars au-dessus de la tête de Sandrine ainsi que la multitude de dessins collés au mur. Elle aimait tant crayonner. Sur l'un d'eux, elle a peint un garçon aux cheveux trop longs, portant une veste en jean, ainsi qu'une rouquine. Elle a tracé un cœur et, à l'intérieur, y a inscrit « Joey aime Zoé ». J'avais rougi en l'apercevant pour la première fois parce que la mère de Joey se trouvait dans la chambre.

Joey ne laisse la main de sa sœur que pour se moucher. Les yeux rougis, sa mère revient près de nous quelques minutes plus tard, l'air si las. Joey ne cède pas sa place et sa mère s'assied près de lui. Monsieur Ferreira est là aussi et fait les cent pas dans la chambre ou dans le corridor. Il ne peut tenir en place.

Mes yeux se posent souvent sur Sandrine. Elle s'agite de plus en plus, comme si elle faisait un cauchemar. Je tente de lui envoyer mes pensées :

« Va, Sandrine, je prendrai soin de Joey. Je te le promets. »

Maman passe la voir plus tard et ne fait que caresser le visage de Sandrine avant de nous quitter. Je sais qu'elle ne peut plus rien pour sa jeune patiente. Toutefois, je l'implore, dans ma tête, de trouver un remède, une solution.

Nous demeurons tous silencieux et prions. Sandrine râle, on dirait qu'elle se bat dans un rêve.

« Il ne faut pas que tu aies peur, Sandrine. Maintenant, il faut te reposer. Tu es si fatiguée. »

J'ajoute :

« Tu seras un bel ange. »

Soudain, elle se calme. Un calme alarmant. Elle prend une longue respiration, puis expire une dernière fois. Joey pousse un cri rauque, rempli de désespoir tandis que nous éclatons en sanglots. Mon cœur se serre comme dans un étau. La douleur me foudroie. Je me hais d'être aussi impuissante. Joey pleure sans retenue, tenant toujours la main de Sandrine. Je sors précipitamment de la chambre, les joues ruisselantes, et cours jusqu'au bureau de ma mère où je me réfugie dans ses bras. Elle devine aussitôt que la Grande Faucheuse est passée à la chambre 538. Maman me berce et pleure avec moi.

Plus tard, alors que la nuit tombe sur Montréal, je quitte l'hôpital en compagnie des Ferreira. Je me sens vide. Je tiens le chasse-cauchemars dans mes mains puisque j'ai la ferme intention de le placer dans le cercueil de Sandrine afin qu'elle le garde près d'elle. Dans mon sac, j'ai rangé soigneusement le dessin qu'elle a fait de Joey et de moi.

Joey n'est que l'ombre de lui-même. Je reste près de lui pour la nuit, pendant laquelle il sanglote longtemps. Je l'accompagne à Magog le lendemain afin de préparer les funérailles qui auront lieu mardi. Je fais le chemin de Montréal à Magog avec les Ferreira. C'est la première fois que je me rends chez eux, en Estrie. En descendant de voiture, je m'étire. Joey grimace un sourire en me voyant faire. Ses parents ouvrent la porte de la maison et nous les suivons. Je suis saisie dès mon entrée : Sandrine est si présente ! D'abord, son manteau est suspendu dans la garde-robe de l'entrée. Puis, de nombreuses photos d'elle sont posées ici et là dans le salon. Il y a aussi une tasse qui affiche le nom de Sandrine dans l'armoire de la cuisine. Je l'aperçois quand j'aide madame Ferreira à préparer la tisane. Monsieur Ferreira préfère prendre un scotch. Nous parlons peu.

— Joey, aide-moi à choisir les vêtements de Sandrine, implore madame Ferreira.

Quel supplice pour Joey de devoir choisir les vêtements que sa sœur portera dans son cercueil !

– Tu peux venir, m'invite gentiment madame Ferreira.

Dans la chambre rose de Sandrine, je regarde les oursons sur le lit. Une pensée bizarre traverse mon esprit : « Il faudrait annoncer aux nounours que Sandrine ne reviendra jamais. »

Je pince les lèvres en me sentant idiote de penser que les oursons peuvent avoir une âme. Je leur jette un dernier coup d'œil avant d'aider à choisir les vêtements. C'est fou comme les oursons ont l'air d'attendre Sandrine. La peine me fait divaguer.

Madame Ferreira tremble en touchant les robes suspendues dans la garde-robe de Sandrine. Elle se calme peu à peu en se souvenant de sa fille dans tel ou tel ensemble. Bientôt, un triste sourire s'affiche sur son visage. Joey et elle partagent des souvenirs complices.

Après le souper, je demande une photo de Joey. Il me la donne sans poser de questions. Demain, je déposerai cette photo, ainsi que la mienne, près de Sandrine. Je partage mon secret au téléphone avec Noémie. Elle, Charlotte, Jacqueline et Yannick emporteront aussi leurs photos.

Plus tard, je suis seule avec Joey. Je regarde les photos de Sandrine placées sur les tables d'appoint. Je ne l'avais pas connue avec des cheveux. De la voir souriante, heureuse et pleine de joie, me réconforte. Joey sort les albums de photos et tourne les pages avec moi. Des souvenirs heureux l'apaisent. Nous pensons qu'il en serait ainsi pour les autres si nous affichons ces photos autour du cercueil.

Le lendemain, plusieurs amis viennent au salon funéraire saluer Sandrine une dernière fois. Yannick est entouré de Charlotte, de Noémie et de Jacqueline. Ils se soutiennent les uns les autres, refusant de se séparer.

Madame Ferreira m'étreint longuement lorsqu'elle me voit déposer le chasse-cauchemars près de Sandrine. Je lui fais part de mon souhait :

— Je veux que cet objet reste près d'elle quand ils fermeront le cercueil.

Les amis et la parenté apprécient la présence des photos, se rappelant les instants de bonheur de la jeune fille. Même les parents de Sandrine évoquent les histoires qui s'y rattachent.

Joey ne cesse de regarder les photos en compagnie de cousins et d'amis.

— C'était une merveilleuse idée, Zoé, me remercie Joey. Comme la fois où tu as organisé la visite des amis de Sandrine. Sans oublier ce chasse-cauchemars. Je ne sais pas si c'est vrai, mais elle m'a avoué que ça l'avait beaucoup aidé à dormir.

Il m'enlace et me berce longtemps.

— Merci d'être entrée dans ma vie, me chuchote-t-il à l'oreille.

Le lendemain, dès son réveil, Joey s'enveloppe de cet air froid et distant. Je ne lui en veux pas, je sais qu'il désire fuir ses émotions. Les funérailles sont déchirantes. Charlotte joue l'*Ave Maria* à la flûte, Jacqueline a formé une chorale avec des élèves de l'école. Noémie et Yannick évoquent les grandes qualités de Sandrine et certains événements importants de sa courte vie.

Au cimetière, Joey craque et c'est son père qui le soutient. Sa mère les entoure par la suite, et je me recule pour les laisser entre eux.

– Il nous reste un fils magnifique, marmonne monsieur Ferreira entre deux sanglots.

La mère de Joey approuve et déclare enfin son amour pour son fils qui a si bien pris soin de sa sœur. Je regarde le cercueil recouvert de fleurs et je pense que Sandrine est pour quelque chose dans cette réconciliation.

Épilogue

D E RICHES ÉVÉNEMENTS comblent les quatre années qui suivent le décès de Sandrine. D'abord, Joey décide de finir son année scolaire à Montréal. Puis, madame Ferreira retourne vivre à Magog auprès de son mari et laisse à son fils le logement dont le bail se termine à la fin de juin. Ils sont aussi d'avis qu'il est mieux pour Joey de demeurer dans la métropole. Retourner chez ses parents ne ferait que chambarder sa vie en l'obligeant à changer à nouveau d'école.

Ce logement est beaucoup plus grand que le nôtre et compte trois chambres à coucher. Maman paraît très intéressée quand elle le visite et décide d'en prendre possession le premier juillet suivant.

— Ainsi, tu n'auras pas à déménager, dit-elle, un soir, à Joey.

— Comment ça ?

— Je sais qu'à l'automne, tu iras au cégep Bois-de-Boulogne. Tu pourras rester avec nous, si tu veux.

Saurons-nous vivre tous les trois ensemble ? Surtout Joey et moi ? J'ai une certaine réticence. Vivre avec mon amoureux m'angoisse, surtout si peu de temps après notre rencontre ; mais je ressens une très grande fébrilité à l'idée de vivre avec lui. Des films d'amour me reviennent à l'esprit, et je me raconte de belles histoires. J'ai peur d'y croire. Les parents de Joey sont d'accord et préfèrent savoir leur fils avec nous que seul dans la grande ville.

Un soir, Joey et moi discutons ouvertement de ce projet. Il évite toujours le sujet quand, soit maman, soit moi, lui en parlons. J'arrive toujours avec mes grands projets de décoration ou d'organisation et, lui, il se réfugie dans son mutisme. Un jour, il me fait part de ses doutes :

— Si ça ne marchait pas entre nous deux ? Et si, un jour, je te tombais sur les nerfs, que ferions-nous ?

Doute-t-il de notre amour ? Un frisson parcourt mon dos. J'ai tant confiance que je le rassure :

— Je te propose un arrangement, Joey. On fait un essai. Une session à la fois. À la fin de chaque trimestre, on se remettra en question et on verra si on continue ou pas. Si entre-temps ça ne va plus, on s'arrangera pour rester

chacun dans notre chambre et on fera un horaire pour ne pas se croiser dans la cuisine.

Je fais une pause avant d'ajouter :

— Mais j'ai la certitude que nous irons très
loin tous les deux.

Voilà. Aujourd'hui, je suis en deuxième
année à l'université. En médecine. Joey est
toujours avec moi. Nous ne remettons plus
notre relation en question à chaque session.
Lui et moi, c'est solide comme le roc. Il
partage ma vie, mes nuits et mes rêves. Il
étudie toujours. Il a surpris ses parents en
prenant cette décision. Il n'en avait pas parlé
jusqu'à ce qu'il reçoive son acceptation à l'université de Montréal. Cette fin de semaine-là,
nous nous sommes rendus à Magog. Joey a at-
tendu jusqu'au souper du samedi soir pour ouvrir une bouteille de champagne.

— En quel honneur ? a demandé sa mère.

— Je vous laisse deviner.

— Vous vous mariez ? a supposé son père.

J'ai éclaté de rire en hochant négativement
la tête. Joey avoue que c'était une bonne idée,
mais que ce serait pour une prochaine bouteille
de champagne. Il a levé son verre et a annoncé :

— Je suis accepté à l'université.

Ses parents, heureux, ont trinqué. C'est
monsieur Ferreira qui a posé le premier la
question.

— En quoi ?

Joey a longtemps nourri son rêve en silence de peur de décevoir une fois de plus ses

parents s'il ne parvenait pas à l'atteindre. Ils ont certes rebâti leur confiance envers leur fils depuis le décès de Sandrine, mais Joey sait que cette sérénité est encore fragile.

Il a tendu la lettre à son père qui l'a parcourue une fois, puis une deuxième fois avant de la tendre à son épouse. Jamais des parents ne furent aussi fiers que ce soir-là de savoir que leur fils étudierait en médecine.

Joey réussit facilement. J'ai souvent l'impression de bûcher deux fois plus que lui afin d'obtenir les mêmes résultats. Je ne sais pas encore quelle spécialité nous choisirons. Parfois je pense faire ma médecine générale. D'autres fois, je souhaite devenir pédiatre. Joey aime tous les domaines. Mais, un soir, couchés l'un près de l'autre, il me fait part de ses réflexions.

— Si tu fais ta médecine générale, ce serait bien, car tu aurais un horaire de jour, tu ne travaillerais jamais la nuit. Je préférais peut-être ça aussi, pour moi. Ainsi, nous aurons le temps d'avoir une petite famille. Nous pourrions vivre en région, il y manque tellement de médecins et nos enfants auraient de grands espaces verts pour courir. Pas comme ici, en ville.

Nous rêvons de la Gaspésie, des Laurentides et de toutes les régions du Québec. Nous espérons être heureux, et je suis aujourd'hui persuadée que nous y arriverons.

Parce que Sandrine veille sur nous.

Remerciements

Je désire remercier spécialement mon amie Julie pour sa patience à lire mes manuscrits et mes nombreux courriels et, surtout, de m'avoir encouragée à persévérer.

Merci à Carmen pour le bon thé et ses bons mots.

Merci à ma famille qui a dû se contenter de macaroni au fromage à l'occasion, parce que, submergée par mes corrections, je n'avais pas le temps de faire mieux. Merci pour votre patience.

Merci à Marie-Claude et Marie-Andrée.

Bibliographie

DEMERS, Dr Jocelyn, *Des enfants comme les autres*, Saint-Lambert, les éditions Héritage Inc., 1983, 215 pages.

LAPOINTE, Gatien, *Ode au Saint-Laurent*, précédée de *J'appartiens à la terre*, Trois-Rivières, Les Éditions du Zéphyr, 1985, 98 pages.

VIGNEAULT, Gilles, « Lointains », dans *Silences : poèmes 1957-1977*, Montréal, Nouvelles éditions de l'ARC, 1978, page 291.

Table

PAO : Éditions Vents d'Ouest (1993) inc., Gatineau
Impression : Imprimerie Gauvin ltée
Gatineau

Achevé d'imprimer en septembre
deux mille trois

Imprimé au Canada